S0-BZZ-615

MAX FREIHERR VON OPPENHEIM

TELL HALAF

Dritter Band:

DIE BILDWERKE

unter Verwendung der Bildbeschreibungen von

DIETRICH OPITZ

bearbeitet und herausgegeben von

ANTON MOORTGAT

WALTER DE GRUYTER & CO., BERLIN W 35

VORMALS G. J. GÖSCHEN'SCHE VERLAGSHANDLUNG · J. GUTTENTAG, VERLAGSBUCHHANDLUNG

GEORG REIMER · KARL J. TRÜBNER · VEIT & COMP.

1955

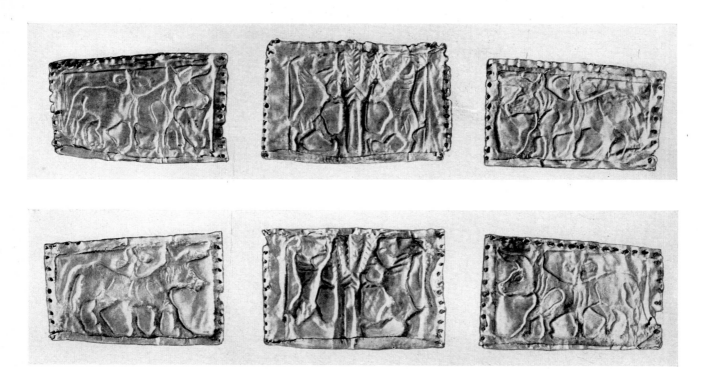

Abb. 1

Haben wir aber einmal eine relative Ordnung der Tell Halaf-Bildwerke gewonnen, so können wir versuchen, mit Hilfe der Ikonographie, der Motivgeschichte, der stilisierten Formen und der dargestellten Dinge aus der materiellen Kultur, außerdem mit Hilfe zeitlich festgelegter Kleinfunde, die in einem sicher bestimmten Schichtenverhältnis zu den Bildwerken stehen, und endlich der Kapara-Inschriften auch absolute chronologische Festpunkte zu gewinnen.

A. Bildwerk der Altbauperiode

1. Getriebener Goldschmuck aus der südlichen Gruft auf der Hilani-Terrasse

Im Nordwesten des Hilanis sind im Verlaufe der aramäischen Besiedlung des Hügels nacheinander zwei Grüfte mit Gewölben, die einem assyrischen Typus angehören, entstanden. Die eine gehört der Zeit vor Kapara an; denn sie wird von der Terrasse des Kapara vollkommen zugesetzt, während sie ursprünglich zum Teil aus der Erde herausragte. Die jüngere gehört der Zeit des Kapara selber an[1]).

Der Tote, der in der älteren Gruft aus der Zeit vor Kapara beigesetzt war, muß ein Vorfahre des Kapara gewesen sein. Die Beigaben, vor allem die Goldbleche mit getriebenen figürlichen Verzierungen, geben uns eine sichere Vorstellung von der Bildkunst der Zeit vor Kapara, der sogenannten Altbauperiode. Sie fanden eine vorläufige und sehr summarische Veröffentlichung in der Vorpublikation des Freiherrn von Oppenheim, Der Tell Halaf, Leipzig 1931 S. 192f. mit Bunttafel III.

Wichtig sind in diesem Zusammenhang zwei Paare von je drei annähernd rechteckigen Besatzplättchen von Sandalen (a. a. O. Bunttafel III 1—3) und ein halbovales Besatzstück aus Gold mit Schmelzeinlage (ebenda Taf. III, 4). Alle Stücke tragen getriebene figürliche Darstellungen[2]).

a) Das größte rechteckige Stück, wohl das Hackenstück der Sandalen, zeigt in einem breitrechteckigen Feld (Abb. 1) einen Baum zwischen zwei senkrecht auf den Hinterbeinen hochgerichteten Ziegen. Der

---

[1]) Zur baugeschichtlichen Situation vgl. Band II S. 100ff.
[2]) Die Originale befinden sich in der Altorientalischen Abteilung der Istanbuler Museen.

5

Baum hat eine eigenartige Form. Er besteht aus einem glatten, pilasterartigen Stamm, der von drei fächerförmig gestellten Zweigen bekrönt wird. Die Blätter sind im Fischgrätenmuster stilisiert. Die Umrisse sind scharf eingraviert, die Einzelformen dagegen nur wenig herausgetrieben. Nur wenige Wulstlinien an Hals und Hinterschenkel. Auf Innenzeichnung scheint sonst ganz verzichtet worden zu sein.

Das Motiv ist identisch auf dem kleinen Orthostaten A 3, 148 (Taf. 86a) vertreten. Der Baumtypus weicht ab von dem mit Voluten auf den kleinen Orthostaten A 3, 115–133.

b) Die beiden Seitenstücke der Sandalen (Abb. 1) sind breiter gestreckt. Sie sind beide mit dem gleichen Bildmotiv verziert, jedoch in spiegelbildlicher Entsprechung: einem schreitenden Stier vor einer Pflanze. Auch hier ist nicht viel mehr gegeben als der gepunzte Umriß der Figuren. Die Art, wie die Schulterpartie durch eine wulstartige Umränderung umgrenzt wird, erinnert an eine Stilisierung, die bei Tierdarstellungen in Relief und Rundbild in Nordsyrien sehr häufig begegnet, so z. B. bei den Stieren und Löwen

Abb. 2

vom äußeren Burgtor in Sam'al/Sendschirli[1]) oder Karkemisch[2]), dagegen auf den Orthostaten des Tell Halaf nicht üblich ist.

Das Motiv „Vierfüßler vor Pflanze" ist dagegen auf den sehr flüchtig gearbeiteten kleinen Orthostaten A 3, 143–146 (Taf. 83b–85a) sehr ähnlich zu belegen.

c) Noch bedeutsamer für die Frage des engen Zusammenhangs zwischen dem Bildwerk aus den Gräbern und den Steinreliefs des Tell Halaf ist eine goldene, getriebene und teilweise mit farbigem Schmelz eingelegte Plakette (Abb. 2) aus derselben Gruft.

Sie hat halbovale Form bei gewölbter Oberfläche. Ihre einstige Verwendung ist unklar.

Das Bildfeld ist oben und seitlich eingefaßt von einem Flechtband. Die Darstellung besteht aus einem Palmettbaum, der auf einem Berg steht, und rechts und links von je einer Ziege angesprungen wird. Der Berg ist in der üblichen Weise im Schuppenmuster stilisiert. Die Tiere zeigen aber deutlich neben der Heraushebung der Schulterpartie die Andeutung der Mähne und der Rippen durch Kerblinien, vor allem aber die eingekerbten flammenartigen Zacken auf den Hinterschenkeln, die für alle Steinplastik des Tell Halaf bezeichnend sind. Wir kommen noch mehrfach auf sie zurück. Bietet sich in dieser Einzelheit schon eine Brücke zu den Steinbildwerken des Tell Halaf, so noch viel deutlicher in dem Typus des Heiligen Baumes, wie er auf dieser Plakette vorliegt und wie er in allen Zügen nahezu identisch auf dem kleinen Orthostaten A 3, 120 (Taf. 73a) und verwandten Stücken erscheint. Es ist der Volutenbaum mit breitem Stamm,

---

[1]) Ausgrabungen in Sendschirli III Taf. 44, 45 und passim.
[2]) Carchemish Bd. I Pl. B 10a (Löwe links oben), Pl. B 13b.

6

mit einem Volutenpaar unmittelbar über der Erde und an der Spitze einem etwas schmäleren Voluten-paar, aus dessen Mitte eine fächerförmige Palmette sprießt. Motiv und Formengebung sind in diesem Falle bei dem Goldschmuck und dem Orthostatenrelief so gleichartig, daß beide nur von Handwerkern stammen können, die dem gleichen Volk und der gleichen Zeit angehören. Damit wird aber die Hypothese, daß die Bildwerke des Tell Halaf als Beutestücke aus der Fremde geholt wurden und infolgedessen viel älter sein könnten als die Bauten, denen sie eingefügt sind, hinfällig. Müßte dann doch dieser ganze Gold-schmuck in der südlichen Gruft auf der Hilaniterrasse ebenso wie später die Bildwerke der Kapara-Zeit schon einmal aus einem entlegenen Ort entführt worden sein, der zufällig derselben Kultur und derselben Epoche angehört hätte.

Die Beigaben dieser Gruft der Vor-Kapara-Zeit bieten uns aber noch mehr. Sie liefern uns den ersten absoluten chronologischen Festpunkt. Unter diesen Beigaben befinden sich nämlich neben einer gold-beschlagenen Elfenbeinbüchse[1]), goldenen Ringen und granulierten Perlen vor allem drei goldene Ohr-ringe (Abb. 3) von einem Typus, den wir ziemlich genau datieren können, worauf übrigens K. Galling in einer Besprechung der Vorpublikation[2]) bereits hingewiesen hat. Vor vielen Jahren schon konnte ich den hier vorliegenden Ohrring-Typus mit drei knopfartigen Ansätzen an einem mehr oder weniger nach

Abb. 3

unten sich verdickenden Ring als charakteristisch für die Zeit Assurnasirpals II. nachweisen. Er kommt auch unter Tributgeschenken vor, die Gefangene auf einem Relief aus Kalaḫ-Nimrud darbringen. Das Relief gehört in die Assurnasirpal-Zeit[3]). Vorläufig läßt sich diese Form nur in der ersten Hälfte des 9. Jahrhunderts feststellen. In Assur kennen wir assyrische Ohrringe aus älterer Zeit, aus dem 11. und aus dem 13. Jahrhundert[4]), wir kennen auch die assyrischen Ohrringformen des 8. und 7. Jahrhunderts[5]). Sie alle weichen von dem hier vorliegenden Typus deutlich ab.

2. Beigaben und Sitzbilder
aus den von Kapara zugesetzten Brandgräbern südlich der Burg

Neben den Stücken aus der südlichen Gruft auf der Hilani-Terrasse gibt es auf dem Tell Halaf noch eine zweite Gruppe von Bildwerken, die auf Grund ihrer schichtbestimmten Fundlage mit voller Sicherheit in die Vor-Kapara-Zeit zu setzen sind. Sie gehören ganz verschiedenen Gattungen an, der Rundplastik und dem Kunsthandwerk. Es sind die zwei größten weiblichen Sitzbilder und ein Teil der Beigaben aus den beiden durch den Südvorbau des Lehmziegelmassivs zugesetzten, alten Brandbestattungen[6]), die

---

[1]) v. Oppenheim, Der Tell Halaf S. 195 Abbildung.
[2]) Zeitschrift des Deutschen Palästina-Vereins Bd. 55 1932 S. 243.
[3]) A. H. Layard, Monuments of Nineveh I Taf. 41.
[4]) A. Haller, Die Gräber und Grüfte von Assur (=WVDOG 65) S. 134 (im Druck).
[5]) A. Moortgat, Der Ohrschmuck der Assyrer. AfO IV 185 ff.
[6]) Über die Anlage und den Schichtenbefund der beiden Brandbestattungen vgl. Tell Halaf Bd. II S. 159 ff. und 394 f.

senkrechten Stäben gebildet sind. Am besten lassen sich Elfenbeinfragmente aus Samaria vergleichen, die J. W. Crowfoot und Gr. M. Crowfoot, Early ivories from Samaria Taf. XVII 4, 4a, XXI 2, 4 u. 5 veröffentlicht haben.

Die Fenster zwischen den Risaliten werden durch kleine Säulchen in zwei Hälften geteilt. Es wird sich um Fenster handeln, wie sie bei der bekannten Gruppe phönikischer Elfenbeine mit der „Frau im Fenster" vorkommen.

Auf der zweiten Seite des Basaltblockes (Abb. 14) ist übrigens das mittlere Risalit durch eine Säule mit Blattkapitell ersetzt. Der Säulenschaft verjüngt sich nach unten, das Kapitell erinnert an die Kapitelle, die die Karyatidenfiguren der syrisch-phönikischen Elfenbeingruppe (s. o.) auf dem Kopfe tragen.

Die dritte Seite des Basaltsteines ist weniger sorgfältig gearbeitet. Sie zeigt lediglich zwei verschieden große Fenster mit mittleren Säulenstützen.

Abb. 14

Zusammenfassend läßt sich zu dem Basaltstein sagen: Auf Grund seiner Ornamentierung, die enge Zusammenhänge mit phönikischen und syrischen Elfenbeinen des 9. Jahrhunderts aufweist, wird man seine Entstehung ebenfalls in diese Zeit zu verlegen haben. Da er andererseits zur Zeit Kaparas zweifellos in zweiter Verwendung ohne Rücksicht auf seine Verzierung verbaut worden ist, muß er ein Zeitgenosse etwa der beiden sitzenden Frauen sein, die wir ebenfalls mit Hilfe von Beigaben in das 9. Jahrhundert datiert haben.

Wichtig ist außerdem sein Hinweis, daß die Beziehungen zwischen Tell Halaf und Phönikien/Syrien nicht lediglich auf leicht transportable Elfenbeine beschränkt geblieben sind.

4. Wiederverwendete kleine Orthostaten am Hilani

a) Relative Datierung

Eine der bedeutendsten und umfangreichsten Gruppen von Bildwerk stellen auf dem Tell Halaf die sogenannten kleinen Orthostaten dar, die als Blendsockel an der südlichen Außenmauer sowie am südlichen Teil der West- und Ostmauern des Hilani-Neubaues verbaut waren. Sie bildeten ein Band aus abwechselnd grauen basaltenen und rotgefärbten kalksteinernen Platten, ursprünglich über zweihundert

15

an der Zahl. Über ihre bautechnische Verwendung ist ausführlich von Langenegger in Band II auf S. 78–86 gehandelt worden. Seine Abbildungen 8 u. 37 sowie die Taf. 15, 2 bis 20 in Bd. II geben eine deutliche Vorstellung von dem Zustand dieses Sockelfrieses, wie er bei der Ausgrabung vorgefunden wurde sowie von einer späten Reparatur und teilweisen Zusetzung des Frieses an der Rücklage nördlich des Südwestturmes des Hilani. Hier fanden sich bei der Ausgrabung die Orthostaten nicht mehr vollzählig zusammen und auch nicht mehr in der Anordnung, wie sie bei dem Neubau des Hilani durch Kapara angebracht worden waren. Manche fehlten, und die ganze Rücklage wurde dann auch nachträglich durch eine Verstärkungsmauer zugesetzt.

Aber auch die Anordnung am Kapara-Neubau selber ist keine ursprüngliche. Auch an der Südseite des Hilanis, wo die Blendsteine noch so ausgegraben wurden, wie sie Kapara hat versetzen lassen, standen sie bereits in einer sekundären Verwendung. Das ist längst erkannt und auch in der Vorpublikation von dem Entdecker M. von Oppenheim mit stichhaltigen Argumenten nachgewiesen worden[1]). Manche Steine sind seitlich beschnitten worden, um sie ihrer neuen Lage anzupassen. Der Stein 143 ist quergestellt. Manche sehen nach ihrer Bilddarstellung so aus, als ob sie halbiert wären. Andere waren ursprünglich Ecksteine und tragen infolgedessen auch eine Darstellung auf einer Schmalseite, die nun aber in der zweiten Verwendung unsichtbar gemacht wurde, da der Stein nicht mehr als Eckstein diente. Der Stein 63 mit dem Bilde eines Elefanten ist in einem Rücklage-Winkel halb verdeckt aufgestellt worden. Es ist selbstverständlich, daß die Gesamtkomposition des Orthostatenfrieses, wie ihn Kapara herrichtete, keinen sinnvollen inhaltlichen Zusammenhang mehr ergeben konnte, sobald die Darstellung sich ursprünglich auf mehrere Orthostatensteine erstreckt hatte. Trotzdem steht auf zahlreichen Steinen die Inschrift des Kapara, bei einigen allerdings scheint vorher eine andere Inschrift vorhanden gewesen zu sein, die Kapara hat radieren lassen, um sie durch seine eigene zu ersetzen.

Sind die kleinen Orthostaten demnach nachweislich, wenigstens zum großen Teil, nicht zur Zeit des Kapara entstanden, so steht man vor der Frage, woher Kapara sie genommen hat und um wieviel sie älter sind als Kapara.

Die Meinung, daß sie aus der voraramäischen Schicht des Tell Halaf, d. h. aus der Buntkeramikschicht heraufgeholt wurden[2]) und infolgedessen um Jahrtausende älter wären als Kapara, ist aufzugeben, seitdem Langenegger festgestellt hat, daß zwischen Altbau des Hilani und der unmittelbar darunterliegenden Schicht der Buntkeramik, die in das vierte Jahrtausend v. C. hinaufgehört, keine Zusammenhänge bestehen. Bei den Nachgrabungen im Jahre 1929 sind zwar mehrfach Reste von Bauten in der Buntkeramik-Schicht festgestellt. Niemals jedoch wurde ein vergleichbares Bildwerk oder dessen Fragment in dieser Schicht gefunden. Auch kennen wir aus keiner vorgeschichtlichen Siedlung der sogenannten Tell Halaf-Kultur eine bedeutende Steinplastik. Viele Dinge der materiellen Kultur, wie sie auf den kleinen Orthostaten erscheinen, würden unsere Vorstellungen der allgemeinen Entwicklung der Kulturen über den Haufen werfen, wenn wir sie in die vorgeschichtliche Zeit setzen müßten. Da es aber zwischen Buntkeramik-Schicht und Altbauperiode auf dem Tell Halaf keine Siedlungsreste gibt, kann Kapara die Steine nur noch der Altbauperiode entnommen haben, falls er sie nicht von weither hat herbeischaffen lassen. Gegen eine solche Hypothese spricht, wie oben schon wiederholt angedeutet, der inhaltliche und formale Zusammenhang der Skulpturen vom Hilani mit dem sonstigen Bildwerk aus den Gräbern der Vorkapara-Zeit. Was ist demnach wahrscheinlicher, als daß Kapara bei der Neuerrichtung des verfallenen, von seinem Vater und Großvater übernommenen Hilanis dort die Mehrzahl der kleinen Orthostaten an Süd-, West- und Ostseite vorgefunden hat als Bestandteil der Ruine. Wir wissen, daß zur Neugründung seines Neubaues diese Ruine bis auf einen Stumpf des Fundamentes abgetragen wurde, um die Gründung darauf zu erneuern. An dem Stumpf des Fundaments des Altbaus sind zwar keine Spuren eines einstigen Orthostaten-Blendsockels mehr nachzuweisen gewesen, aber Langenegger sagt selber[3]): „. . . Hatte der

---

[1]) Vorpublikation S. 126-128
[2]) Vorpuplikation S. 126 unten.
[3]) F. Langenegger in Der Tell Halaf Bd. II S. 31.

Altbau eine solche (= Sockelblende), so saß sie einst höher. Was von ihm übrigblieb, war wohl nur sein Unterbau, der an sich zum großen Teil in der Erde steckte und durch diese vor weiterem Verfall geschützt wurde." Als Kapara demnach zum Neubau des Hilani dessen Ruine bis auf den Fundament-Stumpf hat abtragen lassen, wird er aller Wahrscheinlichkeit nach die kleinen Orthostaten ebenfalls haben abnehmen lassen, um sie jedoch bei seinem Neubau wieder zu verwenden. Darum hat er auch anscheinend bei einigen eine ältere Inschrift ausradiert, um seine eigene darauf zu setzen.

Stimmt diese Hypothese einer Übernahme der kleinen Orthostaten vom Altbau des Hilani auf den Kapara-Neubau, so sind diese Bildwerke Zeitgenossen der vorher betrachteten Skulpturen und Kleinkunst aus der Altbauperiode des Tell Halaf. Es müßten Zusammenhänge, inhaltliche und formale, zwischen beiden Gruppen nachgewiesen werden können, wenn man diese Hypothese irgendwie bestätigt sehen möchte. Dieser Nachweis läßt sich in doppelter Hinsicht führen: in bezug auf die verwendeten Bildgedanken und in bezug auf die Formgebung.

b) Motive

Einen Überblick über den Motivenbestand der kleinen Orthostaten des Tell Halaf ist hier leicht zu geben, weil die katalogartige Behandlung dieses Materials unten auf S. 33 ff. die Steine in systematisch nach Bildtypen und Motiven geordneten Gruppen vorführt. Die Mehrzahl der kleinen Orthostaten tragen lediglich eine Einzelfigur, Mensch, Tier, Mischwesen oder Pflanze, die übrigen dagegen sind mit einer Darstellung aus mehreren Figuren verziert. Viele von den Orthostaten mit Einzelfiguren werden ursprünglich zu mehreren zusammengefaßt worden sein, um ein mehrgliedriges Motiv zu bilden.

Viele Orthostaten-Reliefs bestehen nur aus der Figur eines Mannes (Taf. 10–24). Er trägt häufig ein einfaches langes Hemd mit kurzen Ärmeln, dazu einen Gürtel. Der untere Saum ist mit einer Franse besetzt. Die Haare liegen in einem eingerollten Schopf im Nacken und werden von einem einfachen Diadem gehalten. Die Haare selber sind in einem karierten Muster stilisiert. Der Gesichtstypus ist ausgesprochen vorderasiatischer Rasse mit schwerer fleischiger Nase und fliehender Stirn. Die Oberlippe ist ausrasiert. Der Bart ähnelt einer Schifferfräse. Dieser Typus tritt auf als Kämpfer mit Lanze oder Bogen. Von diesem Männertyp unterscheidet sich der Gott nur durch die Göttermütze und die Waffen. Nur einmal tritt ein solcher Gott in Vorderansicht mit niedriger gehörnter Federkrone auf. Seine Füße sind auseinandergeklappt und in Aufsicht gegeben (Taf. 10a).

Häufiger als das lange Hemd ist der kurze Lendenschurz. Der Schurz ist öfters mit einem Treppenmuster verziert, wie es auch auf jungassyrischen Reliefs begegnet[1]. Die Bewaffnung dieses Kriegers und Jägers ist sehr verschiedenartig: Dolch, Schwert, Bogen, Keule, Schleuder, Helm und Schild u. a. m.

Nur ein einziges Mal scheint eine Frau auf einem kleinen Orthostaten dargestellt zu sein (Taf. 34b). Sie trägt dasselbe lange Hemd wie der erste Männertyp und unterscheidet sich von ihm nur durch die langen, lose herabhängenden Haare. Die Tracht ist die gleiche wie bei der großen sitzenden Frau (Taf. 1–5).

Besonders zahlreich sind die kleinen Orthostaten mit der Einzelfigur eines Tieres (Taf. 43 b ff.), vom Löwen und Wildstier zu den übrigen großen Wildtieren Elefant, Bär, Hirsch, Strauß, Trappe und den kleineren wilden und zahmen Tieren wie Ziege und Hase.

Neben Mensch und Tier erscheint auf mehreren kleinen Orthostaten auch eine einzelne Pflanze, mehr oder weniger stilisiert, als flächenfüllendes Motiv. Es handelt sich stets um einen der beiden Typen: einen mehr naturnah wirkenden Baum oder Strauch (sog. Butbaum) (Taf. 79 ff.) oder den stilisierten Voluten- und Palmettbaum (Taf. 70 b ff.).

Zahlreiche Steine sind Träger einer jener magischen Mischgestalten aus Mensch und Tier oder Tier und Tier, wie sie seit frühgeschichtlicher Zeit in Vorderasien die dämonischen Geister zwischen Gott und Mensch verkörpern (Taf. 86 ff.). Manche stammen noch aus der frühsumerisch-akkadischen Periode, so der Stiermensch oder der Löwengreif, die meisten aber wie Sphinx, geflügelter Stier, geflügelter Mensch

---

[1] z. B.: Assyrian Sculptures in the British Museum from Shalmaneser III to Sennacherib London 1938f. Tf. XXX links.

der Kapara-Zeit nun dazu über, die Haare in Spirallöckchen aufzuteilen, so z. B. bei dem Gott in Vorderansicht auf einem der großen Orthostaten Ba, 5 (Taf. 108) oder bei dem Bogenschützen auf dem großen Orthostaten mit Wildstierjagd Ba, 1 (Taf. 103).

Bei einem Vergleich zwischen zwei Steinplatten mit der nahezu identischen Darstellung einer von zwei Stiermenschen getragenen Flügelsonne lassen sich nicht nur alle vorhin angedeuteten Fortschritte der verfeinerten Innenzeichnung auf dem großen Orthostaten Ba, 2 (Taf. 104) dem kleinen Orthostaten A3, 171 (Taf. 98) gegenüber beobachten, sondern man spürt bei dem ersteren im Gegensatz zu allem Früheren eine leise Tendenz zu einem wirklich plastischen Hochrelief hin, vor allem bei den Federschichten der Flügelsonne und den en face-Gesichtern der Genien.

Zu den interessantesten Reliefkompositionen des Tell Halaf gehören die Darstellungen auf der zwischen den Beinen der großen Postament- und Laibungstiere stehengebliebenen Steinfläche (Taf. 114/5, 117, 121/2, 125, 129). Die Typen und die Innenzeichnung der verschiedenen Gestalten, Menschen, Genien, Tiere, Mischwesen und Pflanzen gehören engstens zusammen mit allem, was wir von zahlreichen kleinen Orthostaten kennen. Doch dürfte man die Freiheit der Komposition, die sich allerdings hier nicht um das Rechteck des einzelnen Orthostaten zu kümmern brauchte, einer etwas jüngeren Zeit, der Kapara-Periode, zugute halten und auch die Stilisierung eines Palmettbaumes, wie sie bei einem dieser Reliefs (Taf. 125) vorkommt, mutet wie eine Weiterentwicklung des Palmettbaumes auf dem kleinen Orthostaten Taf. 70b an.

An großen Rundskulpturen, die sicher in die Altbauperiode gehören, besitzen wir nur die beiden weiblichen Sitzbilder von den durch Kapara zugesetzten Brandgräbern vor dem Burgtor. Wir führten oben S. 11f. bereits aus, daß die kleine sitzende Frau ihrem ganzen Habitus nach jünger sein muß als die noch ganz dem kubischen Steinblock verhaftete große Sitzende. Vergleicht man mit dieser vor allem die großen Rundbilder, die auf den Tortieren gestanden haben, so dürfte es keine Schwierigkeiten bereiten, diese als die entwickelteren zu erkennen. Sowohl das Gottesbild (Taf. 130–32) wie die Statue einer Göttin (Taf. 133) sind weit entfernt von der beinahe stereometrischen Formgebung der ältesten Figur des Tell Halaf, der großen sitzenden Frau Taf. 1–5. Die Götter tragen eine komplizierte Kleidung, die aus einem Unterhemd besteht, das das eine Bein vorne freiläßt und wie die Kleidung der assyrischen Könige mit einem in schrägen Bahnen aufgehefteten schalartigen Stoff verziert ist. Aber auch die weibliche Gottheit (Taf. 133) ist in ihrer Bekleidung weit entfernt von der schlichten Hemdstracht der älteren Grabfigur. Auch werden bei ihr im Gegensatz zur großen sitzenden Frau die einzelnen Körperglieder nunmehr plastisch herausgearbeitet, so daß sie sogar durch den Stoff der Kleidung hindurch sichtbar werden. Die Durcharbeitung der Haare und der Gesichter, vor allem bei der großen Göttin, ist viel plastischer als dort: Es ist demnach keine Frage, daß diese monumentalen Götterbilder auch stilistisch ihre etwas jüngere Entstehungszeit dem großen weiblichen Grabbild gegenüber zu erkennen geben.

Eine stilistische Stufe zwischen beiden nimmt das kleine Grabbild einer Frau (Taf. 6–9) ein, bei der wir oben bereits die ersten Anfänge einer naturgetreuen Modellierung der Gesichtszüge und einer Rundung der Einzelglieder feststellen konnten.

So schließen sich alle Indizien zusammen zu einem Beweis der jüngeren Entstehung aller Bildwerke am Hilani-Eingang dem Bildwerk der Altbauperiode gegenüber. Daß diese Entstehung aber in die Kapara-Periode fallen muß, geht aus der baulichen Herrichtung der Nische durch Kapara hervor, auf die das Bildwerk am Hilani-Eingang bezogen ist. Es geht ferner aus dem Sinn der Inschriften hervor, die Kapara u. a. auf den Götterbildern des Eingangs hat anbringen lassen. Die Stilbetrachtung wiederum erweist die Kapara-Bildwerke als ein Glied in einer natürlichen Entwicklungskette, die wir von der Altbauperiode hinabverfolgen können. Sie stellen, analog dem Neubau des Hilani durch Kapara, der die höchste Entwicklung der Architektur des aramäischen Guzana zeigt, den Gipfel aramäischer Bildhauerei auf dem Tell Halaf dar, kurz vor der Zeit der Abhängigkeit von Assyrien seit 808 v. C.

d) Sinn des Hilani und seiner Fassaden-Bildwerke

Die primäre Anordnung der Skulpturen in der Eingangsnische des Hilanis läßt uns zwar in großen Zügen eine Zweiteilung der religiösen Sphären erkennen: Den unteren Orthostaten, Laibungs- und Postamenttieren und Mischwesen einerseits, den darüber aufragenden großen Göttern andererseits liegt sicher eine Zweiheit in der Ordnung metaphysischer Dinge zugrunde. Es sind die Vertreter der himmlischen Staatsgötter, denen die chthonischen Mächte untertan sind. Trotzdem bleibt uns sowohl der Bautyp des Hilanis[1] selber wie auch die Bildersprache seiner Bauplastik in vielem ein Rätsel. Die Grundfrage, ob das Hilani ein Tempel oder ein Palast sei[2], läßt sich auch mit Hilfe der Bildhauerei nicht eindeutig beantworten. Trotzdem der Bautyp in Tell Atschana einen deutlichen Vorläufer mit Wohncharakter hat, trotzdem in Sendschirli anscheinend mehrere Hilanis zu einem palastartigen Bau mit Innenhof zusammengefügt werden und der Herdwagen des Hilanis auf dem Tell Halaf seine Parallele in den großen Sälen assyrischer Königspaläste findet, ist das Hilani auf dem Tell Halaf schon wegen seines Grundrisses zu Wohnzwecken ungeeignet. Die monumentale Portikus mit drei Götterbildern, der Altarbau aus glasierten Ziegeln und die monumentalen Vögel auf Säulen, die vor dem Hilani gestanden haben, sprechen alle nicht für einen Wohnbau. Dem steht aber wiederum die Tatsache gegenüber, daß sich innerhalb des Hilanis kein Allerheiligstes, keine Cella, nicht einmal ein Postament oder eine Nische für eine Götterstatue findet. Solange wir nicht mehr von älterem churrischem und aramäischem Götter- und Königskult wissen, wird es schwer halten, eine genaue Deutung des Hilanis und seiner plastisch ausgeschmückten Eingangsnische zu geben.

e) Weitere Bildwerke der Kapara-Zeit auf der Burg

Die Skulpturen des Hilani-Einganges sind zwar das bildhauerische Hauptwerk der Kapara-Zeit, aber sie sind nicht das Einzige, was wir vom Tell Halaf aus dieser Periode kennen. Auf der Burg wurden noch einige Stücke gefunden, die aus stilistischen Gründen und ihrer Fundumstände wegen dorthin zu verweisen sind, und auch die wichtigste Gruppe von Bildwerken aus dem Stadtgebiet, die Rundbilder aus dem sogenannten Kultraum, dürften, wie wir gleich sehen werden, teilweise in die gleiche Zeit zu setzen sein.

Großer Vogel.

Zu den eigenartigsten Steinbildwerken des Tell Halaf gehört der aus vielen Bruchstücken wieder zusammengesetzte große Raubvogel Bd, 1 (Taf. 136-138), der auf einem Kapitell hockt, einem Kapitell, das wir uns wohl als Bekrönung eines mehr oder weniger hohen säulenförmigen Untersatzes zu denken haben. Langenegger hat vermutet, daß diese Säule auf einer aus vier Basaltblöcken hergerichteten Unterlage im Pflaster der Terrasse vor dem Hilani gestanden hätte. Einer von diesen vier Basaltblöcken ist der oben behandelte Stein aus der Altbauperiode mit drei Reliefdarstellungen eines Gebäudes (Abb. 13/14). Wenn dem so ist, so müßte der Vogel selber wohl jünger sein als der wiederverwendete Basaltblock, d. h. in die Kapara-Zeit gehören. Daran läßt sich aber auch so kaum zweifeln, da er sichtlich im Zusammenhang gestanden hat mit der bildnerischen Ausgestaltung der Hilanifassade und er ferner in allen Einzelheiten seiner Stilisierung mit Bildwerken aus der Hilani-Eingangsnische übereinstimmt. Eine Parallelisierung läßt sich am schlagendsten durchführen bei dem großen Vogel und den Löwengreifen, die als Laibungsskulpturen im zweiten Durchgang zum Hauptraum des Hilani aufgestellt waren (Taf. 116). Diese wiederum stehen in einem gedanklich und formal so engverwandten Verhältnis zu den übrigen Skulpturen des Hilani-Eingangs, daß sie von der Kapara-Zeit nicht zu trennen sind.

---

[1] H. Frankfort. The origin of the Bît Hilani. Iraq XIV S. 120 ff.

[2] D. Opitz macht auf die Tatsache aufmerksam, daß mehrere kleine Orthostaten nicht die übliche Inschrift „Palast des Kapara usw." tragen sondern „Palast des Wettergotts".

Beide Dämonen, der große Vogel und der Löwengreif haben die gleiche Kopf- und Schnabelform und die gleichen Röhrenaugen mit eingelegten weißen Scheibenpupillen, die zusammen sowohl in der Vorder- wie in der Seitenansicht, eine unheimliche Wirkung auf den Beschauer ausüben, in die sich allerdings uns Nachkommen ein Zug ins Groteske mischt. Beide Werke können nur von einem Bildhauer gemeißelt oder zumindest nur in einer Werkstatt entstanden sein. Bei beiden ist die eigentliche Mundspalte durch eine dünne Ritzlinie wiedergegeben, die ganz nah und parallel dem unteren Schnabelrand verläuft. Der Absatz dagegen zwischen Schnabel und Kopf bildet hier wie dort ein schräg vom Hals zur Stirn verlaufendes Doppelband. Bei beiden hängen schräg vom Hinterkopf auf Hals und Brust herab eine Reihe von kürzeren und längeren Spirallocken. Bei beiden Skulpturen ist die Vogelbrust mit einem Muster von hängenden Schuppen überzogen. Hier wie dort sind die Flügelfedern in zwei Teilen stilisiert, einem Rand kurzer Deckfedern in Schuppenmuster wie auf der Brust, die Schwungfedern in einem zweigartigen Muster. Gerade diese Flügelstilisierung aber verbindet beide Stücke wiederum mit der östlichen Laibungssphinx (Taf. 111–113), die ausdrücklich durch eine Inschrift des Kapara als sein eigenes Werk, im Gegensatz zu dem, was sein Vater und Großvater geleistet hatten, gekennzeichnet wird[1]).

Ein Vogel auf einem Stab kommt, worauf M. von Oppenheim schon hingewiesen hat[2]), schon auf kassitischen Kudurru's als Gottessymbol vor[3]). Als Zeichen für eine Gottheit werden wir auch den großen Vogel vom Tell Halaf, ebenso wie ein Gegenstück ebendaher, anzusehen haben. Ihn auf Grund dieser inhaltlichen Analogie in die 2. Hälfte des 2. Jahrtausends zu datieren, wäre aber verkehrt. Dazu sind sie formal zu unterschiedlich. Eine datierende Parallele für den großen Vogel vom Tell Halaf bietet dagegen eine kleine Skulptur aus Kalah-Nimrud, die K. Galling in seiner oben erwähnten Besprechung (ZDPV 55, 1932 S. 241 ff.) bereits herangezogen hat. H. R. Hall bildet sie nach einer Photographie ab in seinem Buch „La sculpture babylonienne et assyrienne" auf Taf. 59 (dritte Figur von links, oberste Reihe Abb. 3). Es muß derselbe Gegenstand sein, den A. H. Layard bereits in zwei Zeichnungen in seinem Werk „Nineveh and Babylon" auf S. 362 veröffentlicht hat. Hier ist das Material irrtümlich als Elfenbein angegeben[4]).

Skorpionvogelmenschen.

In die Kapara-Zeit zu setzen sind sicher auch die beiden Laibungsskulpturen an dem nach ihnen sogenannten Skorpionmenschentor. Dieses östlich an das Hilani angelehnte innere Burgtor trug in der Tat als einzige bildhauerische Ausgestaltung zwei Laibungsorthostaten in Gestalt eines Mischwesens aus Mensch, Vogel und Skorpion (Taf. 141–145).

Das Tor hat wie alle Bauten des Tell Halaf Umgestaltungen und Erweiterungen erfahren. Erst zur Zeit Kapara's hat es die Form eines Doppelkammertores gewonnen mit einem östlichen Anbau[5]). Die Spuren älterer Zeit sind zwar nicht eingehend untersucht, gehören aber wahrscheinlich in die Altbauperiode.

Vielleicht hat das Tor der Altbauperiode auch schon einen Skulpturenschmuck gehabt; denn der östliche Skorpionmensch ist deutlich eine Umarbeitung einer älteren Löwenskulptur, die noch in der Bosse der verdeckten Seite zu erkennen ist (Taf. 143). Der Stein müßte dann allerdings anders aufgebaut gewesen sein. Jedenfalls ist er zweimal bearbeitet worden, und es ist bei der allgemeinen Situation äußerst wahrscheinlich, daß die zweite Bearbeitung erst geschah zur Zeit der Erbauung des Doppelkammertores durch Kapara. Gesamtform wie alle Einzelheiten der Stilisierung verweisen die beiden Skorpionvogelmenschen denn auch in engste Nähe der soeben betrachteten Bildwerke der Kapara-Zeit. Ja, sie gehören möglicherweise zu den letzten und entwickeltsten Exemplaren dieser Gruppe. Beide Skorpionmenschen

---

[1]) B. Meissner, Festschrift f. M. v. Oppenheim S. 76 Nr. IV.
[2]) Vorpublikation S. 117 f.
[3]) Vgl. E. Unger, Reall. d. Vorgesch. IV 2 s. v. Rabe.
[4]) Vgl. dazu die Angaben von R. D. Barnett auf S. 21 Anmerkung 5.
[5]) Tell Halaf Bd. II S. 87 ff. und S. 379 mit Abb. 183.

Wangen ein freundlicher, fast heiterer Ausdruck verliehen ist.

Das Kinn ist breit und massig; zwei wagerechte Kerben an ihm zeigen an, wie fleischig es ist, so daß sozusagen ein dreifaches Kinn besteht!

Die Augen liegen unter schön geschwungenen Augenbogenknochen. Ober- und Unterlid sind durch einen schmalen, eiförmigen Wulst um die Augäpfel herum angegeben. Die Augäpfel selbst sind voll im Stein stehen geblieben.

Um den Schädel ist ein breites Band gelegt, aus dem kurze, breite, zapfenartige Gebilde dicht nebeneinander gesteckt emporragen. Unter dem breiten Haarband liegt das Haar, nicht weiter in sich gegliedert, in schmalem Streifen über der nicht gerade niedrigen Stirn. Die großen Ohren sind durch flache Wülste mehr ornamental als naturalistisch geformt; immerhin erkennt man den äußeren Rand, das Läppchen, die Gegenleiste und die Klappe, die allerdings anatomisch nicht ganz richtig ausgeführt sind.

Am Hinterkopf fällt das Haar in acht dicken Strähnen, die durch senkrechte Rillen voneinander gesondert sind, tief in den Rücken herab, wo die Enden in gerader wagerechter Linie abgeschnitten sind. Die einzelnen Strähnen sind aus Reihen von Zotten gebildet, die durch etwa vier bis sechs Rillen in sich gegliedert, in plastischem Relief geformt, dachziegelartig übereinander liegen. Vielleicht will der Bildhauer durch diese Darstellung angeben, daß die Strähnen geflochtene Zöpfe sind. Dem scheint allerdings der Umstand zu widersprechen, daß je vier der Strähnen auf jeder Seite des Rückenhaares die einzelnen Zotten in entgegengesetzter Richtung gedreht zeigen, so daß man eher an eine Reihe von langen, gedrehten Locken bei den Strähnen denken möchte.

Unter dem Gewand, das vorne waagerecht ganz gerade abgeschnitten ist, während es an den Seiten auf den Fußschemel-Lehnen aufruht, ragen die Füße etwa vom Spann an vor. Sie sind ziemlich dicht nebeneinandergesetzt. Kerben trennen die Zehen voneinander, die aber in sich nicht weiter ausgearbeitet sind. Die Größenverhältnisse der einzelnen Zehen sind annähernd richtig wiedergegeben, ebenso die Biegung der großen Zehe.

A 3, 1—178: Kleine Orthostaten (Taf. 10—102)

A 3, 1. Gott in Vorderansicht, mit Keule und Krummholz (Taf. 10a).

Basalt.
Höhe 0,64 m, Breite 0,38 m.
Fundort: II. südliche Mauerrücklage des Hilanis. Stein Nr. 89.
Führer S. 65 Nr. 270.
Vorderasiatische Abteilung der Staatlichen Museen zu Berlin (VA 8841).

Der Mann ist mit einem langen, kurzärmeligen Hemd bekleidet, dessen Ärmel mit einem schmalen Saum eingefaßt sind und der unten mit einem Fransensaum abgefaßt ist. Ein breiter Gürtel umschließt knapp die Leibesmitte. Arme und Füße sind nach außen „geklappt". Die Füße sind außerdem in Oberaufsicht wiedergegeben und dann „verkehrt" angesetzt. Das S-förmig gebogene Gerät, das der Mann in seiner Rechten hält, ist wohl ein Wurfholz, das in seiner Linken eine Keule, die aus einem Stock mit darauf gestecktem Steinkopf besteht. Der Keulenstock ist gebogen, wahrscheinlich weil der Bildhauer den Raum an der rechten oberen Ecke der Platte auf diese Weise besser ausfüllen zu können glaubte oder die Ecke schon beim Skulpieren ausgebrochen war. Die Finger sind ganz summarisch durch Einschnitte angegeben.

Das breite, fast rundplastisch en face gebildete Gesicht wird von einem breiten Kinnbart abgeschlossen, dessen Strähnen durch einige unregelmäßig gewellte Ritzlinien gesondert sind; unten ist er ganz gerade abgeschnitten. Ein schmaler Backenbart zieht sich zu den Ohren hinauf. Die Oberlippe ist mit einem kurz geschnittenen Schnurrbart geziert, dessen Haare durch kleine, schräge Einritzungen angegeben sind. Unter ihm mit plastischen, schmalen Lippen der Mund mit abwärts gezogenen Winkeln, wodurch das Gesicht einen grämlichen Ausdruck erhält. Dieser wird verstärkt durch die tiefen Nasen- und Mundfalten zu beiden Seiten der Nase, die mit ihrem breiten Rücken und fleischigen Nüstern zwischen den feisten Wangen ruht. Die Augen sind durch zwei tiefe bogenförmige Furchen um sich etwas vorwölbende spitze Ovale wiedergegeben, in denen die Pupillen bzw. Irisringe durch leichte Einbohrungen angedeutet zu sein scheinen. Die Brauen bzw. Augenbogenknochen heben sich plastisch in S-förmigem Schwung ab. Die Ohren liegen fest an den Seiten des Schädels. Unter einem bandartigen Streifen hängen kurzgeschnittene Haarsträhnen (?) in die niedrige Stirn herab. Als Kopfschmuck trägt die Gestalt eine kurze Federkrone mit abstehenden Hörnern. Wir haben es demnach mit einem göttlichen, zumindest übermenschlichen Wesen zu tun. Auf die Schultern fallen zwei spiralig sich einrollende dicke Locken.

Auf der Brust ist in rohen Formen in Keilschrift eingegraben:

E — kal — lim U
„Tempel des Wettergottes".

A 3, 2. Bogenschütze (Eckorthostat, vgl. A 3, 133) (Taf. 10b).

Basalt.
Höhe 0,57 m, Breite 0,35 m.
Fundort: Ostwand des IV. Turms. Stein Nr. 144.
Musée du Louvre, Paris, Département des Antiquités orientales.

Nach rechts schreitet mit weitem Schritt ein Mann, der mit einem Schurz bekleidet ist. Dieser hat unten einen einfachen Saum. An der Seite oder vorn wohl am

Schluß (?) ist er mit einem Fransensaum besetzt. Auf dem Schurz läuft ferner von unten nach oben ein Treppenmuster. Der Schurz wird von einem breiten Gürtel gehalten.

Auf dem Körper sitzt ein unverhältnismäßig großer Kopf, mit in dickem Schopf bis in den Nacken fallendem Haar. Es wird durch ein um den stark nach hinten sich aufwölbenden Schädel gelegtes Band zusammengehalten und ist durch Karierung wiedergegeben. Das Ohr ist als wulstige Doppelvolute dargestellt, der Mund mit kaum angedeuteten Lippen durch eine kleine Kerbe. Das Auge ist durch eine spitzovale Rille umrissen. Die Nase ist sehr groß mit scharf abgesetztem Nasenflügel. Ein in senkrechte Strähnen geteilter Backen- und Kinnbart schließt das Gesicht unten ab.

Der linke Arm ist vorgestreckt, und seine Hand umklammert einen Bogen. Der rechte Arm ist rückwärts gebogen, seine Hand zieht die Sehne des Bogens mit dem aufliegenden Pfeil zurück. Die Hand ist in genauer Seitenaufsicht wiedergegeben, so daß nur zwei Finger sichtbar sind. Der obere Teil der Bogensehne ist, um das Gesicht des Mannes nicht zu überschneiden, vom Bildhauer nicht dargestellt worden. Der Pfeil hat einen sehr krummen Schaft und eine nicht deutlich erkennbare blattförmige, nicht sehr scharfe Spitze.

Die Beine sind unverhältnismäßig klein.

Auf dem geglätteten Reliefgrund unten am rechten Rande der Bildfläche in Spuren die Keilinschrift:

E – kal – lim
ᵐKa – pa – ra apil ᵐḪa – di – a – [. . . .
,,Palast Kapara's
des Sohnes Ḫadianu's".
Sie scheint ausradiert zu sein.

A 3, 3. Bogenschütze (Taf. 11a).

Basalt.
Höhe 0,68 m, Breite 0,41 m.
Fundort: I. südl. Mauerrücklage. Stein Nr. 62.
British Museum, London.

Nach rechts gewandt steht ein Mann im kurzen Schurz, der unten einfach gesäumt, vorne mit einem senkrecht vom Gürtel herablaufenden Fransensaum versehen ist und von einem Gürtel zusammengehalten wird. Das linke Bein ist vorgestellt, das Kniegelenk gut herausgearbeitet. Das Haupthaar, das von einem Band umschlungen ist, unter dem der Schopf in den Nacken fällt, ist durch Karierung wiedergegeben. Eine ovale Rille umreißt das Auge. Vom Ohr ist die äußere Leiste, das Läppchen und die Gegenleiste mit Klappe ausgearbeitet. Die Nase ist gerade und groß, weit vorspringend mit scharf abgesetztem Flügel, unter dem eine Kerbe die Nasen-Mundfalte angibt. Die Lippen sind in etwas höherem Relief angegeben, der Mundspalt durch eine kleine, kräftige Kerbe bezeichnet. Unten wird das Gesicht von einem Backen- und Kinnbart abgeschlossen, den einige senkrecht geführte Rillen in Strähnen zerlegen. Den linken Arm streckt der Mann waagerecht aus, die Hand umklammert einen Bogen, dessen Arme wenig gebogen sind im Gegensatz zu der sonst üblichen Darstellung der Bögen. Die Finger der

die Bogenmitte umschließenden Hand sind richtig zur Anschauung gebracht. Der rechte Arm ist rückwärts angehoben, die Hand führte die Sehne mit dem aufliegenden Pfeil zurück. Dieser hat eine große, nur wenig verbreitete Spitze; sie liegt diesmal vor dem Bogenmittelteil. Sehne und Pfeil sind nur bis zum Gesicht des Mannes dargestellt, um Überschneidungen zu vermeiden, auf der Brust hat der Künstler versehentlich ein Stück der Sehne eingezeichnet. Die rechte, die Sehne zurückziehende Hand ist in Oberaufsicht dargestellt, und zwar sind die drei mittleren Finger deutlich angegeben, also verwendet dieser Mann beim Schießen die sogenannte Mittelmeerspannung.

Rechts, unterhalb der Mitte der Bildfläche auf dem Reliefgrund eine Keilschrift, deren drei Zeilen von Ritzlinien eingefaßt sind:

E – kal – lim
ᵐKa – pa – ra
apil ᵐḪa – di – a – ni,
wobei das letzte Zeichen um einen rechten Winkel gedreht am rechten Rande steht;
,,Palast Kapara's, Sohnes des Ḫadianu".

A 3, 4. Bogenschütze (Taf. 11b).

Basalt.
Höhe 0,55 m, Breite 0,41 m.
Fundort: Östl. Mauerrücklage. Stein Nr. 186.
Führer S. 34 Nr. 16.
Früher Tell Halaf-Museum, Berlin.

Nach rechts gewandt steht ein Bogenschütze im kurzen Schurz mit glattem Gürtel und unterem Saum sowie mit gefranstem senkrechten Verschluß. Das linke Bein setzt der Mann mit durchgedrücktem Knie vor. Das Haar wird von einem sehr schmalen Bande zusammengehalten. Die Locken werden durch schräg laufende Rillen, die durch kleine Querkerben miteinander verbunden sind, kariert wiedergegeben. Als dicker Schopf liegt das Haar im Nacken auf. Unter der sehr niedrigen Stirne ist eine leicht gewellte Rille eingegraben, wohl zur Wiedergabe der Augenbraue. Das Auge ist oval eingeritzt. Das Ohr ist groß, volutenartig gebildet, mit deutlicher Ausbildung der Ohrleiste, des Läppchens und der Gegenleiste. Die Nase erscheint sehr groß, kolbenförmig mit scharf abgesetztem Flügel. Der Mund ist durch eine schräge Kerbe, die die Nasen-Mundfalte wiedergeben soll, vom Gesicht abgesetzt; die Lippen sind plastisch angegeben, der Mundspalt durch eine Kerbe bezeichnet. Unten wird das Gesicht von einem Backen- und Kinnbart abgeschlossen, der durch senkrechte Rillen in einzelne Strähnen zerlegt ist. Der Hals wird vom Körper durch eine leicht gebogene Rille, die die Schlüsselbeine abgrenzt, gesondert.

Der linke Arm ist waagerecht ausgestreckt, seine Hand umklammert einen Bogen. Der rechte Arm ist rückwärts angehoben, seine Hand zieht die Sehne mit dem Pfeil, der eine schmalblättrige, vorne etwas abgestumpfte Spitze aufweist, zurück. Die Sehne ist nur bis zum Körperumriß des Mannes wiedergegeben, um eine Überschneidung zu vermeiden. Von den Fingern der rechten Hand sind der Daumen und ein weiterer, die anderen Finger überdeckender Finger wiedergegeben; danach wird die Sehne mit dem Daumen zurückgezogen, also eine „türkische" Spannung, indem der Zeige- und Mittelfinger den Daumen an der Spitze festhalten.

Links oben ist der Reliefgrund geglättet; sicherlich ist hier eine Keilschrift getilgt, von der noch Spuren oben erhalten:

E – kal – lim
„Palast" . . .

A 3, 5. Bogenschütze (Taf. 12a).

Basalt.
Höhe 0,60 m, Breite 0,40 m.
Fundort: Südwand des I. südwestl. Eckturms. Stein Nr. 38.
Museum in Aleppo.

Nach rechts gewandt steht ein Mann im kurzen Schurz mit breitem Gürtel, schmalem Saum und Fransenborte am vorderen Verschluß. Das linke Bein ist vorgesetzt, der Fuß anscheinend etwas angehoben.

Das von einem schmalen Band umwundene Haar, das bis in den Nacken geht, wird durch senkrecht geführte Rillen, die durch kleine Kerben miteinander verbunden sind, in Locken zerlegt. Das große Ohr ist in höherem Relief herausgearbeitet; es wirkt fleischig, mit deutlich erkennbarer Ohrleiste, Läppchen und Klappe. Unter der niedrigen Stirne ist das Auge durch eine winkelig verlaufende Rille oben und eine hakenförmige unten umrissen. Die Nase ist gerade, mit scharf abgesetztem, sehr großem Flügel. Die Lippen sind plastisch angegeben, der Mundspalt durch einen kleinen Einschnitt bezeichnet. Unten wird das Gesicht von einem kurzen Backen- und Kinnbart abgeschlossen, der durch wenige senkrechte Kerben in Strähnen zerlegt ist.

Der linke, vollkommen ungegliederte Arm ist waagerecht ausgestreckt, die Hand umklammert einen Bogen. Der rechte Arm ist rückwärts angehoben, seine Hand, die nicht deutlich erkennbar ist, zieht die Sehne mit dem aufliegenden Pfeil zurück, dessen Spitze vom Bogenmittelteil überschnitten wird. Die Sehne ist nur bis zum Körperumriß des Mannes ausgearbeitet, um eine Überschneidung zu vermeiden, der Pfeil bis zum unteren Hals. Bei der linken Hand hat der Bildhauer offenbar den Versuch gemacht, die Finger zu sondern, wie sich an den Ritzlinien noch erkennen läßt.

Auf dem rechten Oberarm und der Brust des Mannes eine Keilinschrift:

E – kal – lim U
„Tempel des Wettergottes".

A 3, 6. Bogenschütze (Taf. 12b).

Basalt.
Höhe 0,56 m, Breite 0,37 m.
Fundort: Westwand des I. südöstl. Eckturms. Stein Nr. 28.
Museum in Aleppo.

Nach links gewandter Mann in Schurz mit breitem Gürtel und schmalem Saum. Die Beine sind ungleichmäßig stark. Der eine Arm ist vorgestreckt; die Hand, nach der Angabe der Finger eine linke, umklammert den Bogen. Der rechte Arm ist zurückgebogen, seine Hand zieht die Sehne mit dem aufliegenden Pfeil zu-

rück; dieser ist mit einer großen, langen Spitze versehen. Die rechte Hand liegt auffallend hoch.

Der Kopf des Mannes wirkt diesmal sehr individuell gebildet. Das Haupthaar ist durch schräge Rillen, die durch kleine Kerben miteinander verbunden sind, wiedergegeben; in gleicher Art auch der kurze, in den Nacken fallende Lockenschopf. Ein Band umschlingt den Schädel. Das Auge ist durch zwei leicht gebogene Rillen umrissen. Das Ohr wird durch eine wulstige Volute gebildet; der Mundspalt durch eine kleine Kerbe zwischen leicht plastisch gebildeten Lippen. Ein Backen- und Kinnbart schließt das Gesicht unten ab, senkrechte Rillen zerlegen ihn in einzelne Strähnen. Die Nase zeigt gegenüber der typisierten Wiedergabe der eben beschriebenen Gesichtsteile mehr individuelle Formung. Sie ist nicht übertrieben groß, leicht aufgestülpt; die die Nasenflügel absetzende Rille ist anscheinend nach unten als Nasen-Mundfalte bis zum Mundwinkel verlängert, wodurch das Gesicht des Mannes an Ausdruck gewinnt.

Auf Armen und Oberkörper steht in deutlichen Keilschriftzeichen:

ᵐKa – pa – ra
„Kapara",
also nur der Name.

A 3, 7. Bogenschütze (Taf. 13a).

Basalt; sehr porös.
Höhe 0,62 m, Breite 0,42 m.
Fundort: Westwand des I. südöstl. Eckturms. Stein Nr. 26.
Verlorengegangen.

Nach links gewandt steht ein Mann im kurzen Schurz ohne Saum, der von einem Gürtel gehalten wird. Die Beine sind dick und fleischig. Demgegenüber erscheint der vorgestreckte linke Arm ziemlich dünn. Seine Hand umklammert einen Bogen. Der rechte Arm ist zurückgebogen; seine Hand, die die Sehne des Bogens mit dem aufliegenden Pfeil zurückzieht, ist kaum zu erkennen, da sie mit dem Nackenschopf zusammenfällt. Das Ohr wird durch eine wulstige Volute mit Andeutung der Ohrklappe wiedergegeben. Zwei tiefe gebogene Rillen umgrenzen das Auge. Die Nase ist kurz gebogen und offenbar fleischig. Der Mund wird durch einen länglichen Spalt bezeichnet. Das Kinn ist sehr kurz, diesmal ohne Bart.

Da der Stein sehr porös ist, waren die Einzelheiten für den Bildhauer anscheinend nur schwer wiederzugeben. Manche Einzelheiten mögen auch infolge weiterer Verwitterung des Steines jetzt nicht mehr erkennbar sein.

A 3, 8. Bogenschütze (Taf. 13b).

Kalkstein, rotgefärbt.
Höhe 0,77 m, Breite 0,40 m.
Fundort: II. südl. Mauerrücklage. Stein Nr. 82.
Führer S. 53, Nr. 151.
Früher im Tell Halaf-Museum zu Berlin, z. Zt. in der Vorderasiatischen Abteilung der Staatlichen Museen Berlin. Eigentum der M. von Oppenheim-Stiftung.

stehen; er stößt das Schwert zum Angriff oder in Abwehr vorwärts.

Rechts unter dem Schwert steht eine dreizeilige Keilinschrift, die einzelnen Zeilen sind durch Rillen voneinander getrennt:

E – kal – lim
ᵐKa – pa – ra
apil ᵐH̬a – di – a – ni

„Palast Kapara's, Sohnes des H̬adianu".

A 3, 30. Mann, in der erhobenen Rechten einen Stein zum Wurf erhebend (Taf. 24a).

Kalkstein. Oberfläche sehr stark beschädigt.
Höhe 0,60 m, Breite 0,38 m.
Fundort: Ostwand des IV. Turms. Stein Nr. 153.
Original verloren?

Mann im kurzen Schurz, der unten mit einem schmalen Saum abgepaßt ist und von einem Gürtel zusammengehalten wird, steht nach rechts gewandt. Das rechte Bein ist durchgedrückt, das linke vorgesetzt und wohl etwas angehoben. Den rechten Arm hat er erhoben; in der Hand hält er einen Stein. Auch die Linke scheint einen Stein zu halten. Der Hals ist von den Schlüsselbeinen durch zwei fast im rechten Winkel zusammenstoßende gerade Rillen abgesetzt. Über ihm erhebt sich der unverhältnismäßig große Kopf. Das Haupthaar war wie üblich kariert, doch ist kaum noch etwas davon zu sehen. Es wird durch ein schmales Band zusammengehalten. Unter diesem quillt ein großer Schopf auf den Nacken herab. Das Ohr ist übergroß. Das Gesicht ist infolge der Beschädigungen kaum noch zu erkennen. Das Auge ist durch eine spitzoval geführte Rille herausgearbeitet, die Stirn etwas zurückgeneigt und ziemlich hoch, die Nase groß mit scharf abgesetztem Flügel. Der Mund hat kleine, etwas vorgewölbte Lippen, der Mundspalt ist klein. Backenbart und spitz auslaufender Kinnbart schließen das Gesicht unten ab. Dieser ist durch vertikale Rillen in einzelne Strähnen gegliedert.

Unter dem rechten, erhobenen Arm des Mannes, links auf dem Reliefgrund, eine Keilinschrift in zwei Zeilen, die durch eine Rille getrennt sind:

E – kal – lim
ᵐKa – pa – ra

„Palast Kapara's".

A 3, 31. Mann, den einen Arm zum Wurf ausholend (?) erhoben (Taf. 24b).

Kalkstein. Oberfläche stark beschädigt.
Höhe 0,65 m, Breite 0,415 m.
Fundort: Ostwand des I. südwestl. Eckturms. Stein Nr. 49.
Original verloren?

Mann im kurzen Schurz, der unten durch einen sehr schmalen Saum abgeschlossen und von einem breiten Gürtel zusammengehalten wird, steht nach links gewandt. Auf dem Schurz sind noch Spuren eines Treppenmusters erkennbar.

Den rechten Arm streckt der Mann vor; die Hand ist abgebrochen. Den anderen Arm hält er rückwärts nach oben; auch dessen Hand ist abgestoßen.

Der Kopf ist unverhältnismäßig groß. Das Haupthaar, dessen Einzelheiten nicht mehr erkennbar sind, wird durch eine Binde zusammengehalten. Das große, spitzovale Auge ist scharf umrissen. Die Nase ist groß, anscheinend spitz und leicht gebogen. Unten scheint das Gesicht von einem Barte abgeschlossen zu sein. Sonst ist das Gesicht fast vollkommen zerstört.

Da die Hände nicht erhalten sind, läßt sich die Darstellung nicht sicher deuten. Doch gehört sie wohl in die Gruppe kriegerischer Männer.

Inschriftenreste sind nicht zu bemerken.

A 3, 32. Reiter (Taf. 25).

Basalt.
Höhe 0,59 m, Breite 0,49 m.
Fundort: I. südl. Mauerrücklage. Stein Nr. 56.
Vorpublikation S. 133.
Führer S. 65, Nr. 248.
Im British Museum, London.

Nach rechts reitet ein bewaffneter Mann. Das Pferd stößt sich mit beiden Hinterbeinen vom Boden, während die Vorderbeine angehoben sind. Das Tier hat seine Ohren — nur das dem Beschauer am nächsten liegende ist wiedergegeben — aufmerksam nach vorn gerichtet; die Gehöröffnung ist mit breiter Kerbe eingetieft. Auf der Stirn scheint ein Schutzstück angebracht zu sein. Das große Auge wird durch eine spitzovale Rille umrissen. Die Nüster ist durch eine kleine Kerbe bezeichnet. Der Maulspalt ziemlich breit eingeschnitten; die Ganasche in schwächlicher Formung in etwas erhöhtem Relief und mit tiefer Einkerbung vom Halse abgesetzt. Die verzogene Mähne, die durch wenige schräge Kerben in einzelne Haare zerlegt wird, reicht bis auf die Stirn. Das linke Vorderbein ist in etwas tieferer Reliefschicht vom Leibe abgesetzt; das rechte zeigt ein fast plastisch herausgearbeitetes Ellenbogengelenk, wogegen seine Schulter durch eine tiefe, leicht gebogene Rille abgegrenzt ist. Die Wiedergabe der Vorderknie in der Biegung ist schwächlich. Die Hufe sind durch kleine Einkerbungen an der Fessel bezeichnet, die Köten deutlich angegeben. Der Bauch des Tieres ist ziemlich dick. Hüfte und Oberschenkel sind in kleinerem und größerem Bogen in höherem Relief vom Leibe abgesetzt. Die Hinterbeine sind gestaffelt dargestellt. Das Sprunggelenk ist scharf herausgearbeitet, infolge des beschränkten Platzes sind aber die Hinterbeine dem Bildhauer zu kurz geraten, auch erscheinen sie, besonders das linke, gleichsam verbogen. Die Hufe sind wieder durch eine Einkerbung abgesondert. Eine große sich umbiegende Rille soll die Muskulatur der Hinterbacke angeben. Der Schweif hängt in weichem Knick nach unten. Der männliche Geschlechtsteil ist zart angedeutet.

Der Reiter trägt den kurzen Schurz, der unten einfach gesäumt ist. Über der rechten Schulter hängt ein Rundschild mit zentralem Buckel. Auf dem Haupte trägt der Mann einen kegelförmigen Helm, der unten offenbar einen Rand zur Verstärkung hat. Sein Haar ist durch Rillen und Kerben in einzelne Locken aufgelöst und hängt mit einem Schopf in den Nacken. Das Auge ist durch zwei gebogene Rillen oben und unten umrissen. Das Ohr wird durch einen ovalen Wulst wiedergegeben, in dem vier kleine Kerben weitere Einzelheiten andeuten sollen. Die Nase ragt groß und gerade mit scharf abgesetztem Flügel vor. Am Mund ist durch eine kleine Kerbe der Mundspalt angegeben. Unten wird das Gesicht durch einen Backen- und Kinnbart abgeschlossen, der durch kurze, im Zickzack geführte Kerben in einzelne Strähnen zerlegt ist. Den linken Arm hat der Mann im Ellenbogen gebeugt und die Hand angehoben, wobei nicht klar zu erkennen ist, ob sie den Zügel hält. Den rechten Arm hält er schräg abwärts; die Hand hält einen kurzen Stab (Schwert?). Das rechte Bein ist etwas mehr vorgestreckt als das linke. Die Füße selbst sind in gerader Aufsicht beide als rechter Fuß wiedergegeben.

Wie der Mann das Pferd lenkt, ist nicht klar ersichtlich. Vom Maul des Tiers führt ein Zügel zum Kamm und vielleicht weiter zur linken Hand des Reiters, da unter dieser die Kerben in der Mähne fehlen, wohl überdeckt vom Zügel! Dieser ist an einem Mundstück befestigt, das, wie eine feine Querkerbe andeutet, ein wenig aus dem Maul herausragt. Wie jedoch das Mundstück im Maule gehalten wird, bleibt unklar. Offensichtlich hat der Bildhauer weitere Teile des Zaumzeuges weggelassen, um den Kopf des Pferdes nicht zu überschneiden!

Rechts vom Helm des Reiters ist auf dem Reliefgrund eine Keilinschrift eingegraben:

E – kal – lim U

„Tempel des Wettergottes“.

A 3, 33. Reiter (Taf. 26).

Basalt.
Höhe 0,60 m, Breite 0,50 m.
Fundort: Westwand des I. südöstl. Eckturms. Stein Nr. 22.
Vorpublikation S. 133, Taf. 18b.
Führer S. 65, Nr. 264.
Vorderasiatische Abteilung der ehemals Staatlichen Museen, Berlin (VA 8851).

Auf einem nach rechts galoppierenden Pferde sitzt ein bewaffneter Mann. Er ist mit einem kurzen Schurz bekleidet, der unten einen Saum trägt. Durch den Reitsitz hat sich der Schurz am Gesäß des Mannes aufwärts geschoben. Die Beine wirken recht fleischig. Den Oberkörper bedeckt ein runder Schild („in Wirklichkeit“ wohl auf dem Rücken getragen). Er ist mit einem Randbeschlag und einem Buckel versehen. Die rechte Hand des Reiters faßt einen Zügel, die andere ist höher erhoben und umklammert einen ziemlich dicken Stab; ob dieser einen Reitstock darstellt oder etwa ein Schwert, läßt sich kaum entscheiden. Für einen Reitstock ist er zu dick, bei einem Schwert würde man eine Spitze erwarten. Auf dem Haupte trägt der Mann einen spitzen Helm. Unter diesem fällt der Haarschopf, dessen Locken durch unregelmäßige Einkerbungen bezeichnet sind, auf den Nacken. Das spitzovale Auge ist durch tiefe Rillen scharf umrissen. Die Nase ist ge-

waltig groß, der Nasenflügel scharf vom Gesicht abgesetzt. Die Lippen sind aufgeworfen, so daß der Mund vorsteht. Der Mundwinkel ist nach unten gezogen, so daß das Gesicht einen entschlossenen Ausdruck gewinnt! Das kurze Kinn liegt ein wenig zurück.

Das Pferd ist im Galopp dargestellt, wobei allerdings der linke Hinterfuß des Tieres noch am Boden haftet. Durch zwei bogenförmige Absätze sind der Hinterschenkel und die Hüfte in höherer Reliefschicht vom Bauch des Tieres abgesetzt. Eine gebogene Rille gibt die Muskulatur des Oberschenkels wieder. Der Schweif ist kurz und dünn, die Haare sind im einzelnen nicht angegeben. Die Vorderbeine hängen etwas schlaff herunter; die Gelenke sind wenig straff. Eine lange, bogenförmige Rille umreißt die Schulter, ihre Fortsetzung sondert die Vorderbeine. Der Ellenbogen ist vom Pferdeleib fast plastisch abgesetzt. Die Hufe sind allemal durch flache Einkerbung von der Fessel und Köte abgesetzt. Der Hals des Tieres ist ziemlich kurz. Die Mähne scheint verzogen zu sein, ihre Haare sind durch kurze Kerben angegeben. Das Ohr ist aufmerksam nach vorn gelegt. Das große Auge ist eiförmig durch eine tiefe Rille umrissen. Auffällig ist die aufgewölbte Stirn. Die Nüster ist durch eine kleine Erhöhung und kleine Einbohrung angedeutet. Das Maul ist anscheinend geöffnet, doch sind Zähne nicht zu erkennen.

Das Zaumzeug besteht aus einem Backenstück, das mit einem gleich breiten, quer vor dem Winkel des Pferdemauls liegenden Stück verbunden ist. Dieses ist schwierig zu erklären. Entweder ist es ein um das Pferdemaul herumgelegter Riemen, oder es ist der Knebel einer Trense. Dem Bildhauer ist die Funktion des Zaums nicht klar gewesen; dafür spricht auch der Umstand, daß das Backenstück am Genick sich verläuft, man also nicht erkennt, daß es um das Genick herumgelegt war. Wenn man diese Unsicherheit des Bildhauers berücksichtigt, ist es auch erlaubt, den Zügel als an der Trense befestigt zu erachten, obwohl es so aussieht, als sei es ein Strick, der dem Pferd um den Unterkiefer gelegt ist. — Sollte es sich nicht um ein Zaumzeug mit Trense handeln, dann wäre das Ganze als eine Art Judenhalfter zu erklären.

Oben rechts auf dem Reliefgrund sind zwei Zeilen einer Keilinschrift eingegraben:

E – kal – lim
ᵐ*Ka – pa – ra*

„Palast Kapara's“.

A 3, 34. Kamelreiter (Taf. 27a).

Kalkstein.
Höhe 0,645 m, Breite 0,42 m.
Fundort: Südwand des III. Turms. Stein Nr. 102.
Vorpublikation S. 140, Taf. 21a.
Führer: S. 42f., Nr. 74.
Walters Art Gallery, Baltimore.

Nach rechts schreitet ein Kamel, und zwar verkehrterweise nicht im Paßgang. Der lange Schwanenhals ohne Halszotten charakterisiert das Tier als Dromedar. Infolge der Darstellung des Sattels auf seinem Rücken ist zwar nicht eindeutig zu erkennen, ob das

Tier zwei- oder nur einhöckerig ist, doch spricht der Anschein für nur einen Höcker. Die Schulter ist durch eine bogenförmige Rille, der Hinterschenkel durch eine kräftige tief eingeschnittene Kerbe herausgearbeitet. Die Spalte an den Hufen der langen, etwas weich geformten Beine sind nicht bezeichnet; wohl jedoch die Wamme unten am Hals. Der Schweif ist abgebrochen. Der Kopf beschädigt, man erkennt noch gut das kleine Ohr und den Maulspalt. Die Umrißlinie des Dromedarkopfes hat der Künstler treffend wiedergegeben.

Das Gesicht des Kamelreiters ist bartlos; er hat eine ziemlich große, aber nicht gekrümmte Nase, deren Flügel durch eine kleine Rille vom Gesicht abgegrenzt ist. Die Nasen-Mundfalte ist durch eine kleine Kerbe angegeben, ebenso der Mundspalt. Das Kinn ist schön gerundet; das Auge durch ei-förmige Rillen umrissen, das etwas zu tiefe Ohr leicht plastisch herausgearbeitet. Das Haar wird von einem wulstigen (?) Bande zusammengehalten, unter dem ein dicker Schopf im Nacken aufliegt; nur über dem Schädel sind die Haarlocken durch geritzte Schraffen angedeutet.

Links oben auf dem Reliefgrund ist eine Keilinschrift getilgt; ein einziges Zeichen, auf der rechten Schulter des Mannes ist noch erhalten: ...] – *ni*; es ist nicht sicher, ob dieses Zeichen der Rest des Namens Ḫadianu ist. Rechts oben unter dem oberen Rande noch das Keilschriftzeichen E „Haus" hinter einer Rasur links von ihm.

A 3, 35. Mann, an einem Tau ziehend (?) (Taf. 27b).

Basalt.
Höhe 0,69 m, Breite 0,39 m.
Fundort: II. südl. Mauerrücklage. Stein Nr. 91.
Museum in Aleppo.

Nach rechts gewandt steht ein Mann in kurzem Schurz, der unten einfach gesäumt ist, vorne wohl am Schluß mit einem senkrecht vom Gürtel herablaufenden Fransensaum versehen ist und von einem Gürtel zusammengehalten wird.

Das linke Bein ist vorgesetzt, das rechte im Knie leicht gebeugt, so daß es das Gewicht des Körpers trägt. Die Füße sind in Aufsicht, und zwar beide als rechter Fuß wiedergegeben.

Um das Haupthaar ist ein Band geschlungen, unter dem das Haar in dickem Schopf in den Nacken fällt. Es ist, wie üblich, kariert. Das Ohr wird durch einen ei-förmigen Wulst gebildet, das Auge durch zwei gebogene, tief eingeschnittene Kerben. Vom spitzen, inneren Augenwinkel läuft eine flache Rinne parallel zum Nasenrücken. Die Nase, obwohl spitz und gerade, wirkt sehr fleischig. Die Nasenflügel sind durch eine gebogene Rille scharf vom Mund abgesetzt. Vom Mund ist nur der Mundspalt durch eine kleine Kerbe wiedergegeben. Unten wird das Gesicht von einem langen Backen- und Kinnbart abgeschlossen, der durch senkrecht verlaufende Rillen in einzelne Strähnen zerlegt wird.

Durch zwei Rillen, die oben an der Brust nach unten biegen und zusammentreffen, wird der Hals vom Körper abgesetzt. Der linke, mit sehr dickem Oberarm aus-

gestattete Arm ist vorgestreckt; der rechte Arm ist schwächlich gebildet, er ist im Ellenbogen leicht gebogen. In den Händen hält der Mann ein stockförmiges Gebilde, das unterhalb der linken Hand leicht eingeknickt ist; seine Spitze geht fast bis an den rechten Rand der Bildfläche. Nicht unmöglich, daß es sich um einen Strick handelt. Woran dieser befestigt ist, bleibt jedoch unerklärt; man muß annehmen, daß an den rechten Rand der Platte eine andere ursprünglich angefügt war, auf der die Darstellung ihre Fortführung fand.

Oben rechts auf dem Reliefgrund eine einzeilige Keilinschrift; sie lautet:

E – kal – lim U
„Tempel des Wettergottes".

A 3, 36. Mann mit gekrümmtem Stab (?) (Taf. 28a).

Basalt.
Höhe 0,63 m, Breite 0,45 m.
Fundort: I. südl. Mauerrücklage. Stein Nr. 58.
Museum in Aleppo.

Nach rechts gewandt steht ein Mann in kurzem Schurz, der von einem Gürtel gehalten wird, unten einfach gesäumt und vorn mit einer senkrechten Fransenborte geschmückt ist. Das rechte, zurückgesetzte Bein ist im Knie leicht gebeugt; das linke vorgestellt. Die Füße sind in Aufsicht, beide als rechter Fuß wiedergegeben. Das Haupthaar ist kariert und von einem Band umschlungen, unter dem ein dicker Schopf in den Nacken fällt. Das Ohr ist flach herausgearbeitet; äußere und innere Ohrleiste, Klappe und Läppchen sind unterschieden. Das ziemlich kleine Auge ist unten durch eine gerade Rille, oben durch eine gebogene umrissen. Die große, fleischige, leicht gekrümmte Nase ragt weit vor, ihre Flügel sind scharf vom Gesicht abgesetzt. Der Mund bzw. Mundspalt ist durch eine tiefe Kerbe bezeichnet. Unten wird das Gesicht durch einen Backen- und Kinnbart abgeschlossen; sechs senkrechte Rillen zerlegen ihn in Strähnen.

Durch eine im flachen Winkel gebrochene Rille wird der Hals vom Körper abgesetzt. Den rechten Arm streckt der Mann gerade vor sich aus, den linken hat er im Ellenbogen gewinkelt angehoben; die Hände umfassen einen unregelmäßig gebogenen Stab (?), dessen Bedeutung nicht ersichtlich ist. Für ein Wurfholz ist er zu lang. Die Finger der Hände sind sehr summarisch durch Kerben in den Händen angegeben; bei der rechten Hand sind auf diese Weise nur vier Finger verdeutlicht, da der Daumen nicht sichtbar wird. An der linken Hand erscheinen fünf Finger, so daß die Art des Griffes bei ihr nicht erkennbar ist.

Die Figur nimmt nicht die Mitte der Bildfläche ein; von der ursprünglichen Blockfläche ist links ein breiter Streifen erhalten. Daraus ist zu schließen, daß zu Kapara's Zeiten der Orthostat in sekundärer Verwendung stand, bei der ersten Anbringung auf die linke Seite des Orthostaten dagegen senkrecht eine andere Platte anstieß, und dann erst das Flachrelief herausgearbeitet worden ist.

kräftigen Hals. Vom gleichen Punkt führt auch ein dickes Seil zum oberen Rand der Wagenbrüstung; es ist als solches durch schräge Kerben gekennzeichnet, sicherlich gab es der Deichsel, die unten am Wagenkasten angebracht war, hier aber durch das Pferd verdeckt ist, besseren Halt. Ein weiterer Zierrat des Pferdes ist der Bügel auf dem Kopfe. Er scheint nur an einem, dem hinteren Ende, befestigt zu sein, während das vordere tief nach unten gebogen ist, so daß es scheinbar die Stirn des Tieres berührt. Die durch kräftige Rillen gesonderten zapfenartigen Gebilde auf dem Bügel stellen wohl Federn dar, das waagerecht nach hinten abstehende wahrscheinlich ein flatterndes Band. Ähnlichen Bügelschmuck beobachten wir auch bei assyrischen Pferdebildern des 8. und 7. Jahrhunderts v. Chr., wogegen das flaternde Band im 9. Jahrhundert daselbst vorkommt. Vom Gesicht des Pferdes ist nur das große, von ovaler Rille umrissene Auge angegeben. Die Zäumung bedeckt den größten Teil des Gesichts. Sie besteht aus einem breiten Trensenknebel, der anscheinend nur von zwei Riemen gehalten wird. Sie sind um das Genick des Tieres herumgeführt. An dem Mundstück sind rechts und links vom Maul die Leinen befestigt, die rechte Leine hat der Bildhauer zwischen dem Maul und dem Hals des Tieres sichtbar gemacht! Die Leinen waren sicherlich irgendwie durch einen am Joch angebrachten Ring hindurchgeführt, und zwar wohl nicht kreuzweise wie bei unserer heutigen Zügelführung, sondern so, daß die Leinen für jedes Pferd zusammenliefen. Das wird dem Beschauer dadurch erkennbar, daß die Leinen vom Joch bis zur Hand des Fahrers doppelt so dick wiedergegeben sind wie die Leinen vom Pferdemaul bis zum Joch! Der Bildhauer hätte also dort die dicke „Doppel"-Leine noch durch eine Ritzlinie teilen müssen. Hier hat ihn vielleicht die Anschauung geleitet, daß auf größere Entfernung die einzelnen, zusammengelegten Leinen dem Zuschauer nicht erkennbar sind. Auch hat er merkwürdigerweise unterhalb der Mähne ein Stück der Leine nicht ausgearbeitet; vielleicht weil hier das Jochkissen überlag?

Das Pferd hat einen sehr langen Schweif, der fast bis unter das Rad reicht. Der deutlich ausgebildete Geschlechtsteil erweist das Tier als einen Hengst.

Über dem Gespann, den Raum zwischen dem Pferdehals und dem Lenker gut ausfüllend, schwebt ein Raubvogel mit ausgebreiteten Flügeln. Er hat einen großen, gekrümmten Schnabel, bei dem eine Rille die Schnabelhälften trennt. Sein Hals ist kurz. Auffällig ist der dicke Kehlsack. Das Auge ist durch eine Vertiefung angegeben. An den Flügeln sind eine Reihe Deck- und zwei Reihen Schwungfedern, die im einzelnen durch Rillen gesondert sind, angegeben. Der kurze Schweif ist ungegliedert. Die vorgestreckten Beine sind gleichfalls summarisch dargestellt: wie ein Winkelmaß gebildet; die vorderen Zehen durch einen dicken, die hinteren durch einen langen, dünnen Zapfen.

Im Raum unter dem Pferde drückt sich ein Löwe. Seine Hinterbeine sind weit nach hinten gestreckt, das rechte Vorderbein greift weit nach vorne aus, das linke ist zurückgesetzt. Lange, den Umrissen der Glieder folgende Rillen geben die Muskeln und Sehnen wieder.

Am Widerrist und am Schweifansatz geben je drei Querrillen Fellfalten an. Der linke Hinterschenkel und die linke Schulter des Tieres sind durch Rillen abgehoben. Die Mähne wird durch unregelmäßig und schräg gegeneinander gesetzte Kerben bezeichnet. Die Fräse durch zwei Rillen. Das große Auge ist durch rechteckige Rillen umrissen. Das Maul ist geschlossen, eine tiefere Rille bezeichnet den Maulspalt. Darüber geben drei zu ihm parallel gezogene Rillen die Schnurrhaare oder Fellfalten wieder, eine zum Nasenrücken parallel geführte den Nasenrücken. Vortrefflich ist dem Bildhauer die Wiedergabe des geduckten, in weitausgreifenden Sprüngen sich drückenden Raubtieres gelungen, das den Kopf möglichst zu Boden senkt. Der lange Schweif mit der durch kleine Kerben angedeuteten Quaste hängt lang herunter.

Oben auf dem Reliefgrund zwischen dem Raubvogel und dem Kopf des Jägers eine einzeilige Keilinschrift:

E — kal — lim ᵐKa — pa — ra

„Palast Kapara's".

A 3, 57. Stierjagd zu Wagen (Taf. 42 a).

Kalkstein. Oberfläche verhältnismäßig gut erhalten.
Höhe 0,72 m, Breite 0,50 m.
Fundort: Südwand des V. südwestl. Turms. Stein Nr. 45.
Vorpublikation S. 134, Taf. 19 b.
Führer S. 69, Nr. 437.
Vorderasiatische Abteilung der Staatlichen Museen zu Berlin (VA 8837).

Auf dem unteren Teil der Platte ist ein Jagdgespann dargestellt. Der Wagenkasten ruht mit der hinteren Kante auf der Achse. Die Brüstung des Kastens ist vorn niedriger, sie steigt nach hinten allmählich an. An der Brüstung ist ein Stab befestigt, im Bilde nur eingeritzt, wohl der Unterteil eines Speerschaftes. Ihn unten schräg überkreuzend ist ein Köcher befestigt; eine breite Hülse im oberen Teil von zwei Bändern gehalten; oben an seiner Öffnung ist ein breiter Rand mit Tülle aufgesetzt. Die Räder haben acht Speichen, die Felgen werden von einem breiten Radreifen zusammengehalten. Am Boden des Wagenkastens ist irgendwie die Deichsel befestigt. Sie trägt am oberen Ende das gleichfalls nicht sichtbare Joch. Von diesem führt zum Wagenkasten, um der Deichsel einen besseren Halt zu gewähren, ein Seilband, vielleicht mit eingehängter Zierdecke oder Futtertasche.

Angespannt sind höchstwahrscheinlich zwei Pferde, obwohl nur ein Tier dargestellt ist. Das Pferd ist sozusagen in gestrecktem Galopp dargestellt; der Bildhauer hat die Vorstellung, daß es in seiner schnellsten Gangart mit beiden Hinterbeinen zugleich vom Boden sich abstößt. Diese sind gestaffelt wiedergegeben. Der Schweif ist ziemlich dünn geraten. Das Tier ist als Hengst gekennzeichnet. Die Vorderbeine, auch sie gestaffelt dargestellt, hebt es an, der Ellenbogen ist fast plastisch herausgearbeitet. Im Vorderknie sind die Beine gebogen. Die Mähne ist kurz verzogen. Die Ganasche ist en creux herausgeschnitten. Das Auge spitzoval, von zwei gebogenen Rillen umrissen. Das sehr dicke Maul ist geöffnet. Das Ohr, leicht bestoßen, kaum zu unterscheiden.

Angeschirrt ist das Pferd mit einem ziemlich hoch sitzenden Brustriemen und einem Bauchgurt, die beide an der Befestigungsstelle des Joches zusammentreffen. Am Bauchgurt ist ferner eine Sperrung zu bemerken. Vom Joch ist allerdings nichts zu erkennen, es ist jedoch sicherlich vorhanden. Die Zäumung besteht aus einem Hauptgestell oder Backenstück, das sich unterhalb des Auges in drei schmalere Riemen teilt; diese halten einen langen und breiten Trensenknebel, der so dargestellt ist, als ob ein breites Band sich um das Pferdemaul lege. Das ist jedoch unmöglich, da das Tier sonst gar nicht das Maul öffnen könnte, wie hier deutlich angegeben, und die drei kleinen (als Halteriemen des Trensenknebels aufzufassenden) Enden des Hauptgestells unverständlich wären. Die Leinen — nur eine ist für den Beschauer sichtbar — scheinen um den Unterkiefer des Pferdemauls geschlungen zu sein; „in Wirklichkeit" sind sie am Gebiß angebracht, das im Pferdemaul liegt. Eben aus dieser Vorstellung heraus hat der Bildhauer die Leine an dem im Pferdemaul liegenden, dem Beschauer nicht sichtbaren Gebiß und nicht am Trensenknebel angefügt; andernfalls hätte er mit der Leine den Trensenknebel überschneiden müssen, was zur Unklarheit der Darstellung geführt hätte.

Die Leinen werden von einem Lenker im Wagen gehalten. Bekleidet ist der Lenker und ebenso der neben ihm stehende Bogenschütze mit einem kurzärmeligen Hemd, dessen Ärmel mit einem einfachen Saum versehen sind, und das mit einem breiten Gürtel zusammengehalten wird; ferner vielleicht mit einer runden Kappe, die unten ebenfalls einfach gesäumt ist, falls hier nicht ein Haarband um das nicht weiter gegliederte Kopfhaar gelegt sein soll. Beide Männer tragen einen Backen- und Kinnbart, bei dem vorderen vielleicht als Zeichen des höheren Ranges etwas länger, der durch kleine senkrechte Rillen in einzelne Strähnen gegliedert ist. Die Nasen sind bei beiden ziemlich groß mit scharf abgesetzten Nasenflügeln, die Lippen stehen vor, der Mundspalt ist durch eine kleine Kerbe angegeben. Das Auge ist bei beiden groß und von ovaler Rille umrissen. Vom Lenker ist ferner noch der dicke ungegliederte Haarschopf und die Ohrspitze zu sehen; vom Schützen das ganze Ohr, ein kleiner, oben sich spiralig einrollender Wulst. Der Lenker hält in jeder Hand eine Leine, deren Enden vor ihm anscheinend in den Wagenkasten fallen.

Der Schütze hält in der Hand des linken vorgestreckten Armes einen Bogen, dessen Sehne er mit der Rechten, die in Höhe seines Halses liegt, zurückzieht — oder zurückgezogen hat; denn sie ist nicht sichtbar; ebenfalls wohl kein Pfeil! Dies ist wohl damit zu erklären, daß Sehne und Pfeil vom Bildhauer mit Absicht nicht wiedergegeben worden sind, um ein Überschneiden der beiden Gesichter zu vermeiden. Von der die Sehne spannenden Hand sieht man nur zwei Finger; wohl den Daumen und den dem Beschauer am nächsten liegenden, die übrigen verdeckenden kleinen Finger. Dies läßt auf eine Spannung schließen, bei der der Daumen die Sehne zurückzieht, vom Zeige- und Mittelfinger umklammert (türkische, oder mongolische Spannung).

Über dem Pferd ist ein Ur-Stier dargestellt. Die Hörner sind beide gestaffelt wiedergegeben. Der Schädel ist sehr massig, die Ganasche im Bogen abgesetzt vom Halse. Eine leicht gekrümmte Rille umgrenzt den Muffel, eine gerade Kerbe bezeichnet den Maulspalt. Das Auge ist sehr groß, von eiförmiger Rille umrissen, überwölbt von einem starken Stirnwulst. Das Ohr ist aufgerichtet, etwas zugespitzt. Über den Hals ziehen sich vom Kamm bis zur Wamme mehrere leicht gekrümmte oder wellenförmige Rillen zur Wiedergabe der Fellfalten. In tiefem Schnitt ist die Schulter abgegrenzt. Die Vorderbeine sind auch hier gestaffelt wiedergegeben, im Vorderknie geknickt. Von ihm ausgehend läuft eine Rille parallel zur Schulter. Eine andere begleitet den Rückenumriß, das unter dem Fell sich abhebende Rückgrat bezeichnend; an sie sind, diesmal nach oben, kleine Kerben angesetzt. Die Hinterbeine, gleichfalls gestaffelt, stehen fest auf dem Boden. Die Hinterkeule ist im bogenförmigen Schnitt vom Leibe abgesetzt. Das Geschlechtsmerkmal ist deutlich angegeben; der Schweif im Bogen aufwärts über den Rücken geschwungen, anscheinend an der Quaste gerade abgeschnitten. Auch der Ur-Stier ist wie das Pferd unter ihm im gestreckten Lauf dargestellt, wobei er die Beine wohl nur deswegen nicht soweit zurückstellt, weil der Bildhauer am rechten Rande der Platte keinen Platz mehr zur Verfügung hatte. Etwas ungelenk sind die Klauen des Stieres wiedergegeben; ein Geäfter ist nicht zu erkennen.

Über dem Kopfe des Schützen liegt noch ein Vogel. Er hat den Hals etwas eingezogen. Der Schnabel ist groß und etwas gekrümmt, der Leib kurz und dick. Die Flügel bedecken anscheinend die Seite seines Körpers vollkommen; die Schwungfedern, in zwei Reihen (?), sind durch wenige sie trennende Rillen angedeutet; ein von zwei Ritzlinien eingefaßtes winkeliges Band soll wohl die kürzeren Deckfedern wiedergeben. Die Beine sind kurz, mit langen Zehen versehen; die hinteren Zehen sind gestaffelt, während die (zwei) Vorderzehen durch eine feine Ritzlinie getrennt sind. Auch bei assyrischen Wagenkampfszenen des 9. Jahrhunderts begleitet öfters ein Raubvogel den Zug.

Unter dem Pferd auf dem Reliefgrund eine dreizeilige, von Rillen eingerahmte Keilinschrift, deren Zeilen ebenfalls durch Rillen getrennt sind:

E – kal – lim
^{m}Ka – pa – ra
apil ^{m}Ḫa – di – a – ni
(die letzten Zeichen sehr zerschürft)
„Palast Kapara's, Sohnes des Ḫadianu".

Auch oben über dem Stier sind auf dem Reliefgrund mehrere Keilschriftzeichen erhalten:

E – kal – lim [^{m}Ka – pa] – ra
„Palast Kapara's";

ob darunter über einer Ritzlinie noch eine weitere Zeile mit der Genealogie gestanden hat, ist ungewiß.

A 3, 58. Löwenjagd zu Wagen (Taf. 42b).

Kalkstein. Stark beschädigt.
Höhe 0,65 m, Breite 0,45 m.
Fundort: Westwand des I. südöstl. Eckturms. Stein Nr. 27.

Vorpublikation S. 135, Taf. 20a.
Führer S. 42, Nr. 70.
Früher im Tell Halaf-Museum zu Berlin, zur Zeit in der Vorderasiatischen Abteilung der Staatlichen Museen Berlin. Eigentum der M. von Oppenheim-Stiftung.

Auf dem oberen Teil des Orthostaten war ein Jagdgespann dargestellt, ein zweirädriger Wagen mit Pferd. Der Wagen besteht aus einem Kasten, der scheinbar auf der Achse aufruht, und zwar trägt die Achse auf dem Bilde die Mitte des Kastens. An der Seite des Kastens sind gekreuzt zwei Köcher angebracht, wahrscheinlich der eine Behälter für Pfeile, der andere, hintere für Speere. Das Rad hat sechs Speichen, ein Radreifen ist nicht zu erkennen. Am Boden des Wagenkastens wird irgendwie die hier nicht sichtbare Deichsel befestigt sein, die das ebenfalls nicht sichtbare Joch trägt. Von diesem scheint zur Festigung ein (Seil)-Band zum oberen Rand des Wagenkastens zu führen, falls dies hier nicht einen Ausbindezügel oder gar eine bei assyrischen Gespannen wohlbekannte Zierdecke bzw. Futtertasche darstellt.

Angespannt sind höchstwahrscheinlich zwei Pferde zu denken. Doch ist nur eins dargestellt. Dieses ist sozusagen im gestreckten Galopp gegeben, die beiden Hinterbeine stoßen vom „Boden" ab, während die Vorderbeine angehoben sind, was bei sehr schneller Gangart ungefähr der Wirklichkeit entspricht. Das Pferd ist als Hengst gekennzeichnet. Die Hinterbeine sind gestaffelt, ebenso wohl auch die jetzt sehr beschädigten Vorderbeine. Der Schenkel des linken Hinterbeines ist im Bogen vom Leibe des Tieres abgesetzt, ähnlich auch die Hüfte. Am (nicht sichtbaren) Joch ist das Pferd mit einem breiten Brustgurt, der durch die in flachem Bogen abgesetzte Schulter des Tieres teilweise überschnitten wird (!), und einem Bauchriemen, an dem ein ringartiges Gebilde wohl eine Sperrung des Riemens darstellt, angeschirrt. Die Leinen scheinen durch einen Zügelring, der am Joch befestigt ist, hindurchzulaufen. Über die Zäumung läßt sich nichts aussagen, da Kopf und Hals des Pferdes beschädigt bzw. weggebrochen sind. Man erkennt nur noch soviel, daß die Leine irgendwie am Maul des Pferdes befestigt ist. Die Mähne scheint stark verzogen zu sein, der Schweif ist recht dünn.

Auf dem Wagen stehen zwei Männer, wohl mit einem langen Hemd bekleidet, das durch einen breiten, noch deutlich erkennbaren Gürtel zusammengehalten wurde. Der linke Mann, der vor dem anderen, ihn teilweise überschneidend, steht, spannt einen Bogen; sein einer Arm, dessen Hand den Bogen umklammert, ist vorgestreckt, der andere im Ellenbogen gekrümmt rückwärts gehalten. Er zielt mit dem Bogen in Richtung des Pferdekopfes. Der Begleiter, sicherlich der Lenker, ist in seinem Oberteil fast vollkommen zerstört, jedenfalls befindet er sich rechts vom Bogenschützen. Auffallenderweise sind aber seine Hände zu sehen; sie befinden sich vor dem Bauch des Bogenschützen und halten die Leinen.

Den unteren Teil der Bildfläche nimmt ein im Verhältnis zum Gespann übergroßer Löwe ein. Er richtet sich auf den Hinterpranken auf und schlägt seinen

Fang dem Pferd in die Weiche. Sein Maul ist weit geöffnet; die Maulrundung grenzt eine halbkreisförmige Rille vom Gesicht des Löwen ab, zwei feinere Ritzlinien, die Rille bis zum Maulwinkel begleitend, geben wohl Schnurrhaare und Lefzen oder Fellfalten wieder. Hinter der Nüster zeigt die Nase einen Höcker, wohl ein infolge des kräftigen Bisses angeschwollener Muskel. Das große Auge ist durch eine ovale Rille umrissen. Das breite und zugespitzte Ohr ist nach hinten gelegt, ein Zeichen der Erregung des Raubtieres. Die Mähnenfräse ist jetzt zerstört; ebenso großenteils die Mähne selbst, deren Zotten durch zahlreiche, schräg zueinander stehende Kerben bezeichnet sind. Eine tiefe Rille setzt die Schulter von der Mähne ab. Die linke Pranke ist wie tastend aufwärts erhoben, die rechte schräg nach unten gestreckt. Ein mit schräg gesetzten Kerben ausgefüllter Streifen, der vom Leibe des Löwen durch eine tiefe Rille abgegrenzt ist, gibt die Bauchzotten wieder. Eine andere Rille längs des Rückenumrisses deutet das unter dem Fell sich abhebende Rückgrat an.

Die Hinterhand des Löwen ist unverhältnismäßig groß. Zwei bogenförmige Rillen setzen den linken Oberschenkel und die Hüfte vom Leibe ab. Die linke Pranke ist vorgesetzt, die rechte weit zurückgestellt. Ritzlinien, von denen mehrere auf dem Schenkel zu flammenförmigen Gebilden vereint sind, geben Muskeln und Sehnen wieder; drei kleine Kerben am Schweifansatz wohl Fellfalten. Der Schweif ist mit S-förmigem Schwunge nach oben gestreckt, als ob das Tier mit ihm die Luft durchpeitscht.

Das ganze Bild ist mit Spannung erfüllt. Schon wie das Pferd zum Sprunge bzw. Galopp ansetzt, vermittelt dem Beschauer die Vorstellung von der Aufregung, in die das Pferd durch den Angriff des Löwen versetzt ist. Und der Löwe ist in jedem Teil mit geschmeidiger Kraft erfüllt: der S-förmige Schwung des Körpers wird durch die gleichförmigen Hinterpranken und den Schweif noch einmal wiederholt. Die übergroße Hinterhand verstärkt den Eindruck der Kraft, von der das Raubtier erfüllt ist.

Unter dem Leibe des Löwen steht auf dem Reliefgrund eine dreizeilige Keilinschrift, deren einzelne Zeilen zwischen wagerechte Rillen gesetzt sind:

E – kal – lim
ᵐKa – pa – ra
apil ᵐHa – di – a – ni
„Palast Kapara's, Sohnes des Ḫadianu".

A 3, 59. Schlacht zu Wagen (Taf. 41b).

Basalt. Oberfläche blasig.
Höhe 0,59 m, Breite 0,90 m.
Fundort: Ostwand des IV. Turms. Stein Nr. 146.
Vorpublikation S. 134.
Führer S. 47, Nr. 98.
Museum zu Aleppo.

Nach links fährt ein Gespann. Dargestellt ist nur ein Pferd, obwohl „in Wirklichkeit" sicherlich zwei Pferde vor den Wagen gespannt waren. Der Wagen besteht aus einem Kasten, der mit seiner Mitte auf der Achse der Räder ruht. Der Kasten ist im Längsschnitt etwa trapezförmig. An seiner Seite ist ein Köcher wieder-

E – kal – lim
ᵐKa – pa – ra
apil *ᵐḪa – di – a – ni*

„Palast Kapara's, Sohnes des Ḫadianu".

Die gleiche Inschrift ist auf zwei Zeilen verteilt noch einmal rechts unten auf dem Reliefgrund angebracht; diesmal ist die ganze Inschrift von Ritzlinien eingerahmt:

E – kal – lim *ᵐKa – pa – ra*
apil *ᵐḪa – di – a – ni*

A 3, 92. Bär (?) (Taf. 59b).

Kalkstein. Sehr abgeschürft.
Höhe 0,52 m, Breite 0,35 m.
Fundort: III. südl. Mauerrücklage. Stein Nr. 116.
Verloren?

Nach links gewandt richtet sich ein Bär (?) auf den Hinterbeinen auf. Infolge der Abschürfungen sind nur wenige Einzelheiten der Innenzeichnung erhalten. Auf dem vorgesetzten linken Hinterbein erkennt man, daß die Muskeln wie bei den Löwen durch Rillen wiedergegeben sind. Ganz charakteristisch ist für den Sohlengänger die Art, wie die ganze „Hand" des Beines, also die Tatze, auf dem Boden aufgesetzt ist. Der gedrungene Kopf mit der spitzen Schnauze ist gut beobachtet, ebenso die kleinen halbkreisförmigen Ohren.

Rechts oben am Rande der Platte auf dem Reliefgrund läuft eine zweizeilige Keilinschrift in senkrechten, von Rillen eingefaßten Zeilen entlang; die zweite Zeile ist schlecht lesbar. Die Inschrift lautet:

E – kal – lim
ᵐKa – pa – ra

„Palast Kapara's".

A 3, 93. Fliegender Raubvogel (Taf. 60a).

Basalt.
Höhe 0,69 m, Breite 0,38 m.
Fundort: II. südl. Mauerrücklage. Stein Nr. 87.
Vorpublikation S. 162, Taf. 39b.
Führer S. 67, Nr. 325.
Vorderasiatische Abteilung der Staatlichen Museen zu Berlin (VA 8842).

Nach rechts fliegt anscheinend aufwärts ein Raubvogel, durch seinen gekrümmten Schnabel gekennzeichnet. Die Flügel sind in gerader Oberaufsicht, aber nicht symmetrisch dargestellt; die Reihen der Schwung- und Deckfedern in verschiedenen Absätzen angelegt, die einzelnen Schwungfedern durch kräftige Einschnitte voneinander gesondert. Die Deckfedern und das ganze übrige Gefieder (außer dem Stoß) ist nicht weiter im einzelnen unterschieden. Das Handgelenk unter den Deckfedern ist plastisch leicht hervorgehoben. Der Schnabel ist vorn zu sehr gekrümmt, fast zipfelig; die Wachshaut oder der Schnabelansatz durch eine Ritzlinie bezeichnet. Das große Auge ist durch nicht ganz gerundete bogenförmige, fast winkelige Rillen umrissen. Durch zwei kleine Kerben scheint die Pupille (?) im Auge angedeutet zu sein! Der Unterschna-

bel ist am Hals durch eine eingegrabene Rille in etwas höherem Relief abgesetzt.

Von den Beinen sind die stark befiederten Unterschenkel nebeneinander gut herausgearbeitet, dagegen die Füße mit den Krallen gar nicht, bzw. sie sind abgemeißelt. Der kurze Schweif ist durch ein von zwei Rillen bezeichnetes Band vom Leibe abgegrenzt; seine großen, sich verbreiternden Federn sind durch Rillen gesondert und gehen fächerförmig auseinander.

Durch die nicht gleichmäßig gestellten Flügel, das Anheben des linken und Senken des rechten hat der Bildhauer das Flügelschlagen des Vogels anschaulich gemacht; die Haltung des zurückgebogenen Kopfes wirkt etwas unnatürlich, da dadurch der Anschein entsteht, als ob der Vogel vor etwas scheue.

Die Hälfte der Bildfläche unter dem Vogel ist ohne Darstellung; es ist nicht ausgeschlossen, daß sie ehemals skulpiert war und später abgemeißelt wurde, wobei auch die Krallen des Vogels versehentlich mitgetilgt worden sind. Am rechten Rande der Bildfläche eine senkrechte Keilschriftzeile:

E – kal – lim U

„Tempel des Wettergottes".

Ob am oberen Rande der Bildfläche und sonstwo noch Keilinschriften ausradiert sind, läßt sich nicht mit Sicherheit entscheiden.

A 3, 94. Fliegender Vogel (Taf. 61a).

Basalt. Fragment.
Höhe 0,47 m, Breite 0,28 m.
Fundort: Westliche Mauerrücklage. Stein Nr. 13.
Führer S. 69, Nr. 435.
British Museum, London.

Ein kurzhalsiger Vogel fliegt hinauf nach rechts. Er hat einen rundlichen Kopf, an dem ein an der Spitze sich etwas aufwärts krümmender dicker Schnabel sitzt, mit einer ganz geraden Schnabelspalte. Das Auge ist oval, von einer Rille umrissen. Am Hals und am Leibe ist das Gefieder durch schräg geführte Rillen, die durch kleine Kerben miteinander verbunden sind, wiedergegeben. Der Stoß ist durch ein von zwei Rillen eingefaßtes Band abgesetzt, die längeren gleichmäßig breiten Federn daselbst durch einige Rillen gesondert. Die Beine sind nebeneinander dargestellt, der eine rechte Fuß jedoch den anderen überschneidend. Auffällig ist die lange Hinterzehe. Auch die langen Flügel sind verschieden groß, in gerader Oberaufsicht dargestellt. Durch ziemlich weit auseinander stehende Rillen sind die Schwungfedern geschieden, wobei die Federreihen in verschiedener Reliefhöhe liegen.

Wahrscheinlich ist die Platte der obere Teil einer ehemals vollständigen, die also so breit war wie dies Teilstück jetzt hoch; die jetzige Höhe entspricht der üblichen Breite der anderen Orthostaten.

Neben dem Kopfe des Vogels eine dreizeilige Keilinschrift, deren Zeilen von Rillen eingefaßt sind:

E – kal – lim
ᵐKa – pa – ra
apil *ᵐḪa – di – a – ni*

„Palast Kapara's, Sohnes des Ḫadianu".

Links hinter dem Vogel eine andere Inschrift, die aufwärts geht (!):

E – kal – lim   U

„Tempel des Wettergottes".

A 3, 95. Gans (Taf. 60 b).

Basalt.
Höhe 0,55 m, Breite 0,38 m.
Fundort: Nordwand des I. südwestl. Eckturms. Stein Nr. 15.
Vorpublikation S. 144, Taf. 25 b.
Führer S. 34 f., Nr. 17; S. 65, Nr. 254.
Vorderasiatische Abteilung der Staatlichen Museen zu Berlin (VA 8858).

Nach links schreitet ein kurzbeiniger langhalsiger Vogel. Die Füße zeigen zwei lange Vorderzehen und eine kurze dicke abwärts gerichtete. Beide Füße sind gleich gebildet, so daß man nicht entscheiden kann, welcher der rechte oder der linke. Die Zehen scheinen an der Wurzel durch eine Haut verbunden zu sein. Wahrscheinlich ist hier ein Vogelfuß mit Schwimmhaut dargestellt; die scheinbar zurückliegende Zehe dürfte die zweite Zehe eines Schaufelfußes bilden. Die Unterschenkel der Beine, die „Keulen", sind kurz und dick. Der Leib des Vogels ist eiförmig. Die Seite des Leibes wird fast vollständig von dem Flügel überdeckt. Den Kopf wendet der Vogel zurück. Er ist rund mit großem, keilförmigem Schnabel, der am Oberschnabel abgerundet ist; eine lange Rille trennt Ober- und Unterschnabel. Das runde Auge mit zugespitztem Außenwinkel ist von einer Rille umrissen. Der Hals ist lang und dünn. Aus diesem Merkmal sowie den anderen, wie den kurzen Beinen mit Schwimmhaut zwischen den Zehen und dem Schnabel, läßt sich der Schluß ziehen, daß hier ein Gänse-Vogel dargestellt ist. Allerdings paßt der ziemlich lange und breite Stoß nicht ganz zu dieser Vogelart. Er weist gerade lange Federn auf, die durch tiefe Rillen voneinander gesondert sind.

A 3, 96. Vogel (Taf. 62 a).

Kalkstein, ziemlich zerschürft.
Höhe 0,67 m, Breite 0,36 m.
Fundort: Ostwand des IV. Turms. Stein Nr. 155.
Verloren gegangen?

Nach rechts gewandt steht ein Vogel mit dickem Leib und langem Hals. Der runde Kopf hat einen ziemlich langen und dicken geraden Schnabel. Das Auge ist von einer kreisförmigen Rille umrissen. Der Hals ist leicht gebogen; der Kropf scheint angegeben zu sein.

Über dem hochgewölbten Rücken stoßen offenbar die Flügelspitzen zusammen. Der hier sichtbare rechte Flügel ist am Bug durch eine breite Rille von der Brust abgesetzt. Die Fiederung ist sehr flüchtig angedeutet.

Die Beine sind kurz; beim rechten ist das Gelenk angedeutet. Der Lauf ist auffallend klein; die hintere Zehe ist ziemlich lang, von den vorderen ist nur eine Zehe wiedergegeben. Die Füße selbst sind in der Wiedergabe gestaffelt, um sie besser zur Anschauung zu bringen.

Was für ein Vogel dargestellt ist, läßt sich nicht ausmachen.

A 3, 97. Strauß (Taf. 62 b).

Basalt.
Höhe 0,59 m, Breite 0,41 m.
Fundort: III. südl. Mauerrücklage. Stein Nr. 121.
Führer S. 69, Nr. 433.
Museum zu Aleppo.

Nach rechts schreitet mit langem Schritt ein Straußvogel. Er hat lange, kräftige Beine mit Füßen ohne hintere Zehe. Der Oberschenkel ist sehr muskulös gebildet; seinen keulenförmigen Umriß beim rechten Ständer hat der Bildhauer teilweise umrissen. Das Gefieder des Leibes ist durch schräg von links oben nach rechts unten geführte Rillen, die durch kurze Kerben miteinander verbunden sind, — also in gleicher Art wie das Haupthaar bei den Darstellungen der Männer auf den Orthostaten —, wiedergegeben. Eine kurze Rille grenzt die Schweiffedern, die durch kräftige Kerben voneinander gesondert sind, und waagerecht nach hinten stehen, vom Leibe ab. An den massigen Leib ist ein langer Hals angesetzt, bei dem unten auch der Kropfansatz angegeben ist. Auf dem Halse sitzt ein runder Kopf mit großem, durch Rillen umrissenen eiförmigem Auge. Der gerade etwas zugespitzte Schnabel ist ohne Abgrenzung angesetzt und durch eine Kerbe in Ober- und Unterschnabel geteilt.

Alle Merkmale eines Straußen hat der Bildhauer gut wiedergegeben.

Links oben auf dem Reliefgrund ist noch eine Keilinschrift zu erkennen:

E – kal – lim   U

„Tempel des Wettergottes".

A 3, 98. Langhalsiger Vogel (Taf. 63 a).

Basalt, jetzt beschädigt.
Höhe 0,54 m, Breite 0,40 m.
Fundort: Ostwand des III. Turms. Stein Nr. 111.
Museum zu Aleppo.

Nach rechts schreitet mit kleinem Schritt ein Laufvogel. Seine Beine sind ziemlich lang. An den Füßen ist vorne und hinten je eine Zehe dargestellt. Die Fußgelenke sind gut herausgearbeitet mit leichter Verdickung. An dem gedrungenen, fast runden Leib sind die großen Flügel dicht angelegt. Sie besitzen lange, durch kräftige Rillen voneinander gesonderte, Schwungfedern in zwei Absätzen und eine Reihe kürzerer Deckfedern, die nicht, weiter gegliedert, in dem wulstigen Streifen zu erblicken sind, der die erste Reihe der Schwungfedern abschließt und den Flügelrand bildet; er geht oben ohne Absatz in den Leib über. Unter dem Flügel ragt ein kurzer Stoß nach unten, dessen Federn durch kräftige, gerade Rillen gesondert sind. Mit dickem Kropf schließt sich an den Leib ein langer Hals an, der in S-förmigem Bogen aufragt. Er endet in einen runden, nicht gerade kleinen Kopf, an dem ein leicht gekrümmter Schnabel mit abgestumpfter Spitze sitzt. Auch hier ist der Schnabel ohne Absatz an den Kopf angefügt. Das ziemlich große Auge ist unten von gerader, oben von gebogener Rille umrandet.

Was für ein Vogel hier dargestellt ist, läßt sich nicht ausmachen. An eine Trappe zu denken, verbietet die Wiedergabe einer hinteren Zehe an den Füßen und der sehr lange Hals. Wahrscheinlich wird ein Storch gemeint sein.

Unter dem oberen Bildrand über Spuren einer längeren, getilgten Keilschrift folgende Inschrift:

$E - kal - lim$ U

„Tempel des Wettergottes".

A 3, 99. Reiher (?) (Taf. 63 b).

> Basalt.
> Höhe 0,55 m, Breite 0,38 m.
> Fundort: Westliche Mauerrücklage. Stein Nr. 7.
> Vorderasiatische Abteilung der Staatlichen Museen zu Berlin (VA 8853).

Nach rechts schreitet mit langem Schritt ein hochbeiniger Vogel. Die Ständer sind lang und kräftig gebildet. An den Füßen ist vorne und hinten je eine Zehe dargestellt. Der Leib des Vogels ist kurz und gedrungen. Die Seite des Körpers wird fast vollständig von dem großen Flügel überdeckt. Dieser besteht offenbar aus zwei Reihen langer Schwungfedern, die sämtlich durch Rillen voneinander gesondert sind, und einer Reihe von Deckfedern. Die Schwungfederreihen sind durch ein wulstiges, in erhöhtem Relief ausgearbeitetes Band voneinander getrennt, desgleichen wieder die Deckfedern von den Schwungfedern. Unter dem Flügel senkt sich ein kurzer Stoß, dessen Federn durch dicht nebeneinander gezogene gerade Rillen gesondert sind, schräg abwärts. Der Hals ist lang. Er krümmt sich S-förmig nach unten, da der Vogel offenbar nach Beute oder Futter späht. Auf dem Halse sitzt ein kleiner eiförmiger Kopf; sein Schnabel ist keilförmig mit breiter Basis. Der tiefe Schnabelspalt geht weit nach hinten, so daß man annehmen kann, daß der Vogel „in Wirklichkeit" den Schnabel und Schlund sehr weit öffnen kann. Die Schnabelspitze ist beschädigt. Am Hinterkopf ist eine kleine Auswölbung zu bemerken, vielleicht daß hier ein kurzer Federschopf angedeutet sein soll. Das Auge ist klein und von runder Rille umrissen.

Die langen Ständer mit den langen Zehen sowie die gut gebildeten, auf hohes Flugvermögen deutenden Flügel, der lange Hals und wohl auch der Schopf am Kopf kennzeichnen den Vogel wahrscheinlich als einen Reihervogel.

Oben auf dem Reliefgrund eine einzeilige Keilinschrift:

$E - kal - lim$ ${}^{m}Ka - pa - ra$ apil ${}^{m}Ha - di - a - ni$

„Palast Kapara's, Sohnes des Hadianu".

A 3, 100. Oberteil eines Vierfüßlers (Fragment) (Taf. 61 b).

> Kalkstein. Stark bestoßen.
> Höhe 0,37 m, Breite 0,35 m.
> Fundort: Westliche Mauerrücklage. Stein Nr. 1.
> Führer S. 69, Nr. 438.
> Museum zu Aleppo.

Zu erkennen ist der Vorderteil eines Vierfüßlers, vielleicht eines Hirsches oder eines ähnlichen Tieres, das nach rechts gewandt, sich auf den Hinterbeinen aufrichtet. Sein rechter Vorderlauf ist angehoben, die

Hand hängt abwärts. Der rechte Vorderlauf war abwärts gestreckt. Der Hals ist sehr schlank, Einzelheiten des Kopfes, der nicht zugespitzt zu sein scheint, sind nicht mehr erkennbar. Auf der Stirn sieht man den Ansatz eines anscheinend nach hinten sich biegenden dünnen Gehörns.

A 3, 101. Stier und Dogge (Taf. 64 a).

> Kalkstein.
> Höhe 0,74 m, Breite 0,46 m.
> Fundort: Westwand des III. Turms. Stein Nr. 100.
> Früher im Tell Halaf-Museum zu Berlin.

Ein Stier steht nach links gewandt auf den Hinterbeinen aufgerichtet. Seine beiden verhältnismäßig dünnen und schön geschwungenen Hörner sind gestaffelt nebeneinander wiedergegeben, derart, daß das dem Beschauer näher liegende linke das rückwärts gelegene fast zur Hälfte überschneidet. Sie sind durch zwei Querkerben vom Schädel abgesetzt. Das Ohr ist schräg aufwärts gerichtet, die Gehöröffnung breit eingekerbt. Das große Auge ist durch eine eiförmige Rille umrissen, das nicht ganz in der Mitte desselben befindliche Loch, das wie eine Pupille wirkt, dürfte ein zufällig an dieser Stelle in dem auch sonst sehr porösen Stein befindliches Loch sein. Über dem Auge gibt eine wellenförmig geschwungene Rille den Augenbogenknochen an, unter dem Auge eine andere mit ihm eng parallel laufende wohl das untere Lid. Der Muffel ist durch eine breite und tiefe Kerbe abgesetzt. Nüster und Maulspalte scheinen beschädigt zu sein. Hinter dem Auge deuten eine kurze gebogene Rille oben und zwei parallel laufende unten wohl Sehnen an. Eine kräftige Kerbe grenzt die Ganasche ab. Quer über den Hals und die Brust ziehen sich mehrere paarweise zusammenlaufende Rillen hin. Eine kräftige setzt die Schulter ab, von einer weiteren, mit ihr parallel gehenden begleitet. Das linke Vorderbein ist angehoben, oben in tiefem Schnitt aus der Blockfläche herausgearbeitet. Es fällt auf, daß das Handgelenk sehr dick bzw. nicht weiter ausgeführt ist! Der Vorderfuß ist nicht klar erkennbar. Das rechte Vorderbein ist mit fast unmerklicher Beugung im Gelenk nach unten gestreckt; das Geäfter ist ausgearbeitet, die durch eine Kerbe abgesetzte Klaue zur Hälfte abgestoßen.

Eine zum Rückenumriß parallel verlaufende Rille soll das unter dem Fell sich abhebende Rückgrat bezeichnen. Der Geschlechtsteil ist scharf umrissen. Die Keule des zurückgesetzten linken Hinterbeines ist bogenförmig in erhöhter Reliefschicht vom Leibe abgesetzt. Die Gruppe liegt hoch, eine tiefe Rille in Verlängerung der Rückenrille begleitet ihren Umriß. Verschiedene Ritzlinien auf den Hinterbeinen geben Muskeln und Sehnen wieder, einige von diesen Linien sind auf der Keule zu flammenförmigen Gebilden vereint. Der Schweif liegt sich schlängelnd zwischen den ausschreitenden Hinterbeinen, er hat eine dicke Quaste. Das Geäfter an den Klauen der Hinterbeine ist ebenfalls scharf herausgearbeitet.

Über dem Stier ist noch eine laufende Jagd-Dogge dargestellt. Das Tier springt mit beiden Hinterpfoten vom Boden ab, die Vorderpfoten gerade vorstreckend;

links zwei, rechts ein und nach oben ein weiterer Ast oder ein Blatt ab. Der Stamm verjüngt sich ebenmäßig nach oben.

A 3, 137. Baum (Taf. 80b).

> Basalt. Sehr porös. Oberfläche stark zerrieben.
> Höhe 0,68 m, Breite 0,51 m.
> Fundort: Westwand des V. südwestlichen Eckturms. Stein Nr. 164.
> Museum zu Aleppo.

Von einem gerade emporwachsenden Stamme gehen rechts und links je zwei Äste ab; oben vergabelt sich der Stamm in zwei Triebe.

A 3, 138. Baum (Taf. 81a).

> Basalt. Sehr porös. Oberfläche beinahe völlig zerrieben.
> Höhe 0,61 m, Breite 0,40 m.
> Fundort: Ostwand des IV. Turms. Stein Nr. 160.
> Verloren?

Von einem unten sehr dicken, nach oben sich sehr verjüngenden Stamme gehen rechts und links je zwei Äste ab; die Spitze des Stammes verzweigt sich.
Die Darstellung ist kaum noch zu erkennen.

A 3, 139. Baum (Taf. 81b).

> Basalt. Sehr porös. Oberfläche völlig zerrieben.
> Höhe 0,65 m, Breite 0,48 m.
> Fundort: Westwand des V. südwestlichen Eckturms. Stein Nr. 166.
> Verloren?

Von einem ziemlich gerade senkrecht aufragenden Stamme gehen rechts und links je zwei Äste ab; die Spitze verzweigt sich.

A 3, 140. Zwei Bäume (Taf. 82a).

> Basalt.
> Höhe 0,67 m, Breite 0,35 m.
> Fundort: II. südl. Mauerrücklage. Stein Nr. 85.
> Vorderasiatische Abteilung der Staatlichen Museen zu Berlin (VA 8859).

Von rechts unten und von links unten wachsen schräg nach oben, sich etwa in der Mitte der Bildfläche überkreuzend, zwei Stämme, die sich stark verjüngen. Oberhalb der Kreuzungsstelle verzweigen sie sich; der rechte Stamm sendet einen Ast nach links, während er sich oben in drei Äste verzweigt, der linke sendet einen sich in vier Zweige auflösenden Ast nach oben, während ein kurzer Ast den Stamm nach rechts fortsetzt.
Sämtliche Äste bzw. Zweige sind an ihren Enden in Fischgrätenmuster stilisiert, wodurch wohl Blätterwerk angedeutet werden soll. Die Spitzen des linken Astes des rechten Stammes, und des rechten kurzen des linken Stammes sind durch eine Querkerbe vom Stamme abgesetzt; vielleicht sind hier Blüten oder Knospentriebe gemeint.

A 3, 141. Zwei Bäume (Taf. 83a).

> Kalkstein, rotgefärbt. Stark beschädigt und zerrieben.
> Höhe 0,70 m, Breite 0,47 m.
> Fundort: II. südl. Mauerrücklage. Stein Nr. 90.
> Verloren?

Von rechts unten wächst, sich etwa in der Mitte stark biegend nach links, ein allmählich sich verjüngender Stamm empor; nach links geht ein Ast oder Blatt (?), oben zwei Äste oder Blätter (?) ab. Von links unten, wo die Bildfläche jetzt sehr zerstört ist, wächst ein weiterer Stamm auf, der sich ebenfalls etwa in der Mitte biegt, und zwar nach rechts, so daß er den anderen Stamm überkreuzt. Von ihm geht nach rechts ein Ast oder Blatt (?) ab. An den Spitzen der Zweige sind durch Einkerbungen Blätter flüchtig angedeutet.

A 3, 142. Zwei Bäume (Taf. 82b).

> Basalt. Sehr porös. Oberfläche stark zerrieben.
> Höhe 0,62 m, Breite 0,47 m.
> Fundort: II. südl. Mauerrücklage. Stein Nr. 83.
> Verloren?

Von rechts unten wächst nach links ein Stamm empor, der sich dreifach verzweigt. Von links unten wächst ein zweiter Stamm nach rechts hinüber. Er kreuzt den ersten. Seine Krone ist nicht mehr zu erkennen.

A 3, 143. Hirsch vor einem Baum (Taf. 83b).

> Basalt, sehr porös.
> Höhe 0,67 m, Breite 0,44 m.
> Fundort: Südwand des II. Turms. Stein Nr. 69.
> Museum zu Aleppo.

Vor einem Baume, diesen überschneidend, richtet sich ein Hirsch auf den Hinterbeinen nach rechts gewandt auf. Baum und Tier liegen jeweils in einer der beiden Bildflächendiagonalen. Von der Innenzeichnung der Figuren ist kaum etwas erhalten. Für die Einzelheiten sei auf die Beschreibung der Stücke A 3, 77 bzw. A 3, 134ff. verwiesen.

A 3, 144. Hirsch vor einem Baum (Taf. 84a).

> Basalt. Oberfläche gut erhalten.
> Höhe 0,52 m, Breite 0,37 m.
> Fundort: III. südl. Mauerrücklage. Stein Nr. 117.
> Vorpublikation S. 143, Taf. 23b.
> Führer S. 67, Nr. 321.
> Vorderasiatische Abteilung der Staatlichen Museen zu Berlin (VA 8854).

Vor einem Baum, diesen überschneidend, steht ein Hirsch, der das rechte Vorderbein anhebt. Eine der ungeschickteren Darstellungen, die uns auf den kleinen Orthostaten begegnen. Jede Innenzeichnung, bis auf die Halsrillen des Hirsches, fehlt. Gemeint ist ein Bild wie auf dem vorhergehenden Stück A 3, 143, auf das hier verwiesen sei.

A 3, 145. Steinbock vor einem Baum (Taf. 84b).

> Kalkstein, rotgefärbt. Oberfläche zerrieben.
> Höhe 0,61 m, Breite 0,43 m.
> Fundort: Ostwand des IV. Turms. Stein Nr. 161.
> Führer S. 66, Nr. 279.
> Verloren?

Nach rechts springt ein Steinbock in schräger Flucht, nicht so steil aufgerichtet wie sonst die Horntiere auf den Tell Halaf-Orthostaten, weil die Platte verhältnismäßig breit ist. Mit dem linken Hinterlauf stößt er sich vom Boden ab, der rechte ist angehoben, ebenso der rechte Vorderlauf, der im Ellenbogen gebeugt ist, so daß die Hand nach unten hängt, während der linke Vorderlauf gerade nach unten gestreckt ist.

Der Leib ist kräftig gebildet und schön gerundet. Längs des Rückens zieht sich eine feine Rille entlang. Vom kurzen Schweif ist nicht mehr viel zu erkennen, da er jetzt abgestoßen ist. Eine Fortsetzung der Rückenrille umreißt im Bogen die Schulter des Tieres. Den Hals überziehen vom Kamm zur Brust herunter zahlreiche nebeneinander gesetzte Rillen. Der Kopf ist nicht vom Halse irgendwie abgegliedert. Das große eiförmige Auge ist von gebogenen Rillen umrissen, der Maulspalt tief eingekerbt. Das Ohr mit breiter Kerbe als Gehöröffnung steht rückwärts aufgerichtet. Über der Stirn ragt das Gehörn auf, das sich stark nach rückwärts einbiegt. Nur ein Horn ist dargestellt. Es ist in seiner ganzen Länge oben eingekerbt, wie es für das Gehörn eines Steinbocks charakteristisch ist. Am Kinn ein kurzer Bart.

Der Steinbock steht vor einem Baum von der Art wie auf den Steinen A 3, 134 ff.

Zwischen dem unteren Aste oder Blatte des Baumes und dem Ziemer des Steinbocks ist eine dreizeilige Keilinschrift eingegraben, deren Zeilen zwischen Ritzlinien gesetzt sind und von oben nach unten laufen:

E – kal – lim
ᵐKa – pa – ra
apil ᵐḪa – di – a – ni

„Palast Kapara's, Sohnes des Ḫadianu".

A 3, 146. Tier (Ziege?) vor einem Baum (Taf. 85 a).

Basalt. Sehr verwittert.
Höhe 0,58 m, Breite 0,37 m.
Fundort: Nordwand des V. südöstl. Eckturms. Stein Nr. 178.
Museum in Aleppo.

Vor einem Baume steht, nach rechts gewandt, ein vierfüßiges Tier, den anscheinend gehörnten Kopf umwendend. Das Horn ist im großen Bogen geschwungen. Der Lauscher ist emporgerichtet; das Maul ziemlich dick, der Leib sehr gedrungen. Der kleine Wedel steht waagerecht ab. Die Klauen bzw. Schalen sind ziemlich dick. Nach diesen Merkmalen ist wahrscheinlich eine Ziege wiedergegeben.

Vom Baum ist über dem Rücken des Tieres noch ein Stück des Stammes zu erkennen, der sich etwa in Höhe der Stirn des Tieres steil verästelt. Weitere Einzelheiten des Baumes sind kaum zu unterscheiden; der untere Stammteil ist vom linken Hinterbein des Tieres überdeckt.

A 3, 147. Gazellen- oder Antilopenbock neben einem Baum (Taf. 85 b).

Basalt. Oberfläche gut erhalten. Jetzt beschädigt.
Höhe 0,61 m, Breite 0,44 m.
Fundort: III. südl. Mauerrücklage. Stein Nr. 125.
Museum zu Aleppo.

Nach links, den Kopf umwendend, springt ein Gazellen- oder Antilopenbock. Sein linker Hinterlauf stößt vom Boden ab; der rechte, durch tiefe Kerbe abgesetzt, ist angehoben. Die Schalen sind von den Läufen durch Einkerbung gesondert. Diese sind ziemlich lang und spitz.

Am Ansatz des sehr kurzen Wedels bezeichnen drei Querkerben sicher Hautfalten. Längs des Rückenumrisses läuft eine tiefe Rille.

Das Blatt des linken angehobenen Vorderlaufs ist durch eine Rille vom Halse abgegrenzt, während das Ellenbogengelenk plastisch herausgearbeitet ist. Vom Kopf zum Kragen sind dicht nebeneinander zahlreiche Rillen gezogen, die offenbar die Mähne des Tieres darstellen. Das große ovale Auge ist von zwei tiefen, gekrümmten Rillen oben und unten umrissen. Der eine sichtbare Lauscher, mit länglicher Vertiefung für die Gehöröffnung, ist schräg aufgerichtet. Über der Stirn wachsen dicht nebeneinander und sich dann auseinanderbiegend zwei Hörner aufwärts; sie sind in gerader Vorderaufsicht zur Darstellung gebracht!

„Hinter" dem Tiere, rechts am Rande der Bildfläche steht ein Baum von der Art wie auf den Steinen A 3, 134 ff.

Auf dem Leibe des Tieres, unter der Rückgratslinie, verläuft schräg abwärts eine zweizeilige Keilinschrift:

E – kal – lim
ᵐKa – pa – ra

„Palast Kapara's".

Es ist anscheinend versucht worden, sie auszuradieren.

A 3, 148. Zwei Böcke gegen einen Palmstamm sich aufrichtend (Taf. 86 a).

Basalt.
Höhe 0,68 m, Breite 0,50 m.
Fundort: II. südl. Mauerrücklage. Stein Nr. 79.
Vorpublikation S. 143, Taf. 24 b.
Führer S. 53, Nr. 147.
Vorderasiatische Abteilung der Staatlichen Museen zu Berlin (VA 8840).

In der Mitte des Bildes erhebt sich aus breitem Wurzelstock, nach oben allmählich sich verjüngend, eine Palme. Zwei Wurzelschößlinge rollen sich unten spiralig zu beiden Seiten auf. Das erste, zweite und letzte Drittel des Stammes wird von je drei übereinanderliegenden Wülsten nach oben zu abgegrenzt. Oben am Stamm rollen sich zunächst wieder zwei diesmal wohl als ältere Wedel zu erklärende Spiralen zu beiden Seiten ein. Zwischen diesen befindet sich das Herzstück des Baumes, ein Kreissegment, das den Volutenzwickel ausfüllt und aus dem drei Blattwedel als Palmette hochragen. In den Zwickeln zwischen Palmette und Voluten sitzen zwei Fruchtkolben.

Gegen den Stamm stützen sich, auf den Hinterbeinen stehend, zwei spiegelbildlich einander gleichende Böcke. Ein kurzes, dickes Horn ragt ein wenig schräg nach vorn geneigt auf ihrer Stirn auf. Der Kopf ist keilförmig in Seitenaufsicht gegeben. Das Auge ist von einer ovalen Rille umrissen. Von den Nüstern geht, den Nasenrücken abgrenzend, eine gerade Rille beim linken

84

Tier fast bis zum Auge, beim rechten bis zum inneren Augenwinkel; eine weitere zweigt von dieser Rille nach unten, hinter dem Maulspalt, ab. Der Maulspalt ist ein wenig gebogen. Das Ohr steht beim linken aufrecht mit länglicher Kerbe als Gehöröffnung; beim rechten ist es kürzer und spitzer, mit breiter tiefer Kerbe als Gehöröffnung und nach hinten gelegt. Die Ganasche ist beim linken Tier durch eine gebogene Rille umrissen, beim rechten durch eine gerade abgegrenzt. Wellenförmige und gebogene Rillen überziehen den Hals vom Nacken bis zur Brust. Das Blatt ist wieder in leicht gebogener Rille abgegrenzt. Das rechte Vorderbein beim linken, das linke beim rechten Tier ist angehoben, im Handgelenk geknickt, so daß der Fuß mit der Schale sich auf das mittlere Ringbündel am Stamm aufstützen kann. Den linken Vorderlauf streckt das linke Tier, den rechten das rechte nach unten, sich mit der Schale auf das untere Ringbündel des Stammes aufstützend. Für alle Einzelheiten in der Innenzeichnung der beiden Tiere sei auf das Stück A 3, 84 verwiesen. Sie sehen aus wie Ziegenböcke, nur fehlt ihnen der Bart.

Auf dem unteren Teil des Palmstammes eine zweizeilige Keilinschrift in senkrechten Zeilen:

E – kal – lim
ᵐKa – pa – ra

„Palast Kapara's".

A 3, 149. Geflügelter Löwe mit Skorpionschwanz (?) (Taf. 86 b).

Basalt.
Höhe 0,68 m, Breite 0,44 m.
Fundort: Südwand des I. südwestlichen Turms. Stein Nr. 42.
Führer S. 39, Nr. 47.
Museum zu Aleppo.

Nach rechts gewandt steht ein geflügelter Löwe aufrecht auf den Hinterbeinen. Die rechte Vorderpranke ist erhoben, die linke schräg abwärts gestreckt. Für alle Einzelheiten des Löwenkörpers kann auf die Stücke A 3, 61 ff. verwiesen werden. Der Schweif ist S-förmig nach hinten geschwungen; es ist nicht klar zu erkennen, ob ein Löwenschweif oder der eines Skorpionen dargestellt sein soll.

Aus dem Ellenbogengelenk der Vorderpranke wächst ein Flügel heraus, der sich über dem Rücken auffaltet. Über zwei Reihen längerer Schwungfedern liegt, wieder in höherer Reliefschichtung, eine Deckfedernreihe, die aber nicht wie die beiden anderen Reihen aus durch Rillen gesonderten Einzelfedern besteht, sondern ungegliedert ist.

Oben auf dem Reliefgrund, dem oberen Umriß der hier ausgebrochenen Platte folgend, läuft eine Keilinschrift entlang, die sicherlich erst angebracht worden ist, nachdem die obere linke Ecke des Blockes bereits abgebrochen war. Sie lautet:

E – kal – lim ᵐKa – pa – ra apil
ᵐḪa – di – a – ni

„Palast Kapara's, Sohnes des Ḫadianu".

A 3, 150. Geflügelter Löwe mit Männerkopf (Taf. 87 a).

Basalt.
Höhe 0,64 m, Breite 0,38 m.
Fundort: II. südl. Mauerrücklage. Stein Nr. 81.
Vorpublikation S. 155, Taf. 35 a.
Führer S. 44, Nr. 81.
Metropolitan Museum, New York.

Auf den Hinterpranken steht ein geflügelter Löwe mit Männerkopf aufgerichtet. Der Kopf ist in Vorderansicht gegeben. Der Löwenkörper ist in der üblichen Art ausgeführt. Man vergleiche für alle Einzelheiten Stücke wie A 3, 61 ff.

An der Schulter sitzt ein Flügel, aus zwei Reihen Schwung- und einer nicht weiter ausgeführten Reihe Deckfedern in verschiedenen Reliefschichten bestehend; er schwingt nach oben bis in die linke obere Ecke der Platte, den Raum über dem Löwenrücken gut ausfüllend.

Auf dem Löwenleib sitzt das große, rundgesichtige Menschenhaupt. Unten wird es von einem breiten, von den Ohren sich herabziehenden Backen- und Kinnbart eingerahmt. Der Bart ist, den Flügelrand etwas überschneidend, unten gerade abgeschnitten, seine Strähnen sich durch zickzackförmig eingemeißelte Kerben angedeutet. Die Ohren sind nur summarisch durch verhältnismäßig kleine Ansätze bezeichnet. Hinter ihnen hängen zu beiden Seiten des Kopfes zwei spiralige Haar(?)locken herunter.

Der Mund besteht aus einem flachbogigen Schlitz derart, daß die Mundwinkel nach unten gezogen erscheinen. Die Oberlippe ziert eine kurze Schnurrbartbürste. Die Nase ist kräftig gebildet, die Nüstern sind plastisch scharf herausgehoben. Die Augäpfel bestehen aus durch tiefe Rillen umrissenen Ovalen; über ihnen schwingen sich in zwei breiten, plastischen, gewellten Bändern die Augenbrauen. An den Schläfen sitzen rechts und links zwei kurze Wisenthörner. Über den Augenbrauen läuft der Kopf in einen Kegel aus, der durch horizontale, gewellte Ritzlinien verziert ist. Es ist sicher eine Hörnermütze, wie sie göttliche Wesen tragen, gemeint.

Am oberen Rande ist ein Streifen der ursprünglichen Fläche des Steinblockes stehen geblieben. Links, auf dem Reliefgrund zwischen dem Flügel und dem Löwenrücken beginnend und sich über den Löwenleib unterhalb der Rippen fortsetzend, steht die einzeilige Keilschriftlegende:

E – kal ᵐKa – pa – ra
„Palast Kapara's".

Das Zeichen LIM scheint zu fehlen.

A 3, 151. Geflügelter Löwe mit Frauenkopf (Sphinx) (Taf. 87 b).

Basalt.
Höhe 0,65 m, Breite 0,46 m.
Fundort: Westliche Mauerrücklage. Stein Nr. 9.
Vorpublikation S. 154, Taf. 34 b.
Führer S. 39 f., Nr. 50.
Früher im Tell Halaf-Museum zu Berlin.

85

Ein Mann mit vier Flügeln am Rücken, nach rechts gewandt, hat die Arme hoch erhoben. Sein Oberkörper ist in Vorderansicht wiedergegeben, Kopf und Beine in Seitenansicht. Er ist mit einem Schurz bekleidet, der von einem Gürtel in der Leibesmitte gehalten wird, unten hat das Kleidungsstück einen einfachen schmalen Saum und ist vorne am Schlitz offenbar mit einer Fransenborte, deren einzelne Fransen durch kräftige Kerben angegeben sind, besetzt.

Er steht anscheinend auf dem rechten Bein, während das linke, im Knie gebeugt, lebhaft vorgestreckt und etwas angehoben ist. Der in gerader Oberaufsicht dargestellte Fuß des linken Beines ist ein rechter (!) Fuß, was man deutlich an der mit Nagel wiedergegebenen großen Zehe erkennen kann.

Die Arme hebt der Mann hoch, als ob er etwas stützen wollte. Die Hände sind von der Seite wiedergegeben, so daß man die kräftigen Daumen und je zwei Finger der Hände sieht. Je zwei Flügel gehen von der Rückenmitte rechts und links nicht ganz symmetrisch angeordnet auf- und abwärts; sie bestehen jeder aus einer Reihe nicht weiter unterschiedener Deck- und zwei Reihen Schwungfedern, die — ohne Kennzeichnung von Kiel und Fiederung — in drei Reliefschichten durch tiefe Kerben voneinander abgesetzt sind. Die Arme und das linke Bein überschneiden die Flügel.

Der übergroße Kopf hat eine außerordentlich große, leicht gekrümmte Nase, deren Flügel durch eine tiefe halbkreisförmige Rille von der Wange abgesetzt ist; eine kleine Kerbe gibt die Nasen-Mundfalte an. Die Lippen sind plastisch leicht erhöht, der Mundspalt durch eine an den Enden etwas abwärts gebogene Kerbe bezeichnet. Ein Backen- und Kinnbart, dessen Strähnen durch schräge Rillen angegeben sind, schließt das Gesicht unten ab. Das Ohr ist durch ein ei-förmiges, mehrfach eingekerbtes Gebilde wiedergegeben, das große Auge durch eine ovale Rille umrissen.

Über dem Ohr entwächst dem Schädel ein Rinderhorn; es zieht sich waagerecht zur Stirnmitte, wo seine Spitze sich in scharfem Knick aufbiegt. Um den oberen Schädel schlingt sich offenbar ein Band; von diesem ragen (sechs) nach oben sich verbreiternde und gerade abgeschnittene Federn aufwärts. Links am Hinterkopf, in leichter Krümmung sich verbreiternd und aufrichtend, ein zapfenförmiges Gebilde, das sich schwer deuten läßt; vielleicht das eine Schleifenende des Haarbundes? Oder ein zweites, verzeichnetes Horn?

Unter diesem fällt das Haar hinten in langem Schopf, sich etwas einrollend, auf die Schultern; die einzelnen Haarlocken sind durch kräftige Rillen und Kerben herausgehoben.

Rechts auf dem etwas geglätteten Reliefgrund (oder über Rasur?) erkennt man in vertikaler Reihe einige Keilschriftzeichen, die wohl

E – kal – lim U

„Tempel des Wettergottes"
zu lesen sind. Es hat den Anschein, als ob sie über einer anderen getilgten Keilschrift eingegraben sind.

A 3, 168. Geflügelter Mensch mit einem Raubvogelbein und einer Löwenvordertatze (Taf. 96a).

Basalt.
Höhe 0,67 m, Breite 0,40 m.
Fundort: Unbekannt. Stein ohne Grabungsnummer.
Führer S. 65, Nr. 268.
Vorderasiatische Abteilung der Staatlichen Museen zu Berlin (VA 8845).

Nach rechts gewandt steht ein geflügelter Mann. Er ist mit einem bis zu den Füßen reichenden Hemd bekleidet, das das linke Bein bis zum Knie freiläßt und von einem breiten Gürtel zusammengehalten wird; die kurzen Ärmel sind mit einem einfachen Saum abgepaßt.

Der Kopf zeichnet sich durch eine außerordentlich große fleischige Nase aus. Die Lippen sind ziemlich dickwulstig; der Mundspalt wird durch eine kleine gebogene Ritzlinie angedeutet. Unter dem Kinn und den Wangen zieht sich ein zottiger Bart entlang. Der Augapfel wird durch ein ziemlich langgestrecktes Oval wiedergegeben; die Augenbraue ist sehr lang über das Auge hingezogen. Die Ohrmuschel besteht aus einem breiten hakenförmigen Band mit deutlicher Verdickung am Ohrläppchen. In den Nacken fällt vom Hinterkopf ein lockiger Haarschopf, dessen Locken kariert sind. Auf dem Kopfe trägt die Figur einen spitzen Hut, der unten von einem Saum eingefaßt ist. Links über dem Hinterkopf ragt ein kurzer Zapfen auf, während rechts ein Horn unter dem Hut vom Ohr her sich zur Stirnmitte hinzieht und aufbiegt. Das Ganze soll eine Hörnermütze sein.

Von der Schulter und von der Taille her geht auf dem Rücken je ein Flügel, aus zwei Reihen Schwung- und einer nicht genauer unterschiedenen Reihe Deckfedern bestehend, nach oben und unten ab.

Der linke gewinkelt erhobene Arm und der rechte Fuß sind rein menschlich gebildet; dagegen ist der rechte Unterarm eine Löwenpranke, deren Muskeln und Sehnen durch scharfe Einritzungen herausgearbeitet sind, wobei die beiden Querrillen über den Krallen unklar bleiben. Das linke Bein hat keinen menschlichen Fuß, sondern ist das Bein eines Raubvogels mit gewaltigen Krallen.

Mit der linken Hand und den Krallen der Pranke hält das Mischwesen einen langen krummen Stab, oder ein Band, das oben hakenförmig umbiegt.

Am rechten Rande steht auf dem Reliefgrund in vertikaler Richtung die Keilinschriftlegende:

E – kal – lim ᵐ*Ka – pa – ra*

„Palast Kapara's".

A 3, 169. Zwei verschiedene Vogelmenschen rechts und links von einer Palme (Taf. 96b).

Kalkstein. Schlecht erhalten, stark zerstört.
Höhe 0,65 m, Breite 0,46 m.
Fundort: Ostwand des V. südöstl. Eckturms. Stein Nr. 168.
Führer S. 35, Nr. 25.
Verloren?

In der Mitte ragt ein dünner Baumstamm auf, an dessen Fuß sich rechts und links je ein Wurzelschößling volutenartig einrollt. Beide Voluten sind nicht symmetrisch gearbeitet. Die Krone des Baumes ist zum großen Teil zerstört; am oberen Rande erkennt man noch Spuren der üblichen fächerförmigen Palmette.

Auf der rechten Seite des Stammes, die teilweise weggebrochen ist, steht ein Mensch mit Vogelbeinen. Sein Gesicht ist völlig zerstört. Vom Bart erkennt man noch das untere Ende. Das Haar liegt in dickem Schopf auf den Schultern auf. Der Oberkörper scheint mit einem kurzärmeligen Hemd bekleidet zu sein, jedenfalls erkennt man an seinem linken und rechten Oberarm noch den einfachen Saum des kurzen Ärmels. Mit der Rechten umfaßt er den Baumstamm dicht unterhalb der Krone. Seine Linke umklammert den Stamm etwas über dessen Mitte. Sein rechtes Bein besteht aus einem Tierschenkel mit Vogelfuß, von dem nur eine Vorderzehe und die Hinterzehe wiedergegeben sind. Sehnen und Muskeln sind auf beiden Beinen durch Ritzlinien angegeben. Das linke Bein ist großenteils weggebrochen.

Auf der linken Seite des Baumes steht ein adlerköpfiger, geflügelter Mensch. Bis auf den Vogelkopf ist er ganz menschlich gebildet. Seine Gewandung besteht aus einem bis zu den Waden reichenden, kurzärmeligen Hemd, das unten und vorne mit einem Fransensaum besetzt ist und von einem breiten Gürtel zusammengehalten wird. Von dem Vogelkopf, der ebenso wie die Brustpartie stark zerstört ist, erkennt man noch mit Sicherheit den kurzen Federkamm, der den Nacken hinauf verläuft. Er stößt zusammen mit dem hier von der Taille aus hochragenden einen Flügel, dem ein zweiter herabfallender hinter dem Unterkörper entspricht. Die Darstellung ist hier aus Raummangel sehr behindert. Die Flügel zeigen wie üblich zwei Reihen Schwung- und eine Reihe Deckfedern.

Mit der Darstellung der Arme des Vogelmenschen ist der Bildhauer nicht zurechtgekommen. Der linke ist im Ellenbogen gewinkelt und zum Stamm erhoben, während der rechte, der fälschlicherweise hinter statt vor dem Körper liegt, ein Eimerchen hält. Es ist die rituelle Handlung, die wir von zahllosen assyrischen Reliefs des 1. Jahrtausends kennen.

Das Relief ist ziemlich flach. Unterhalb der Füße der beiden Mischwesen ist ein ziemlich breiter Streifen der Steinoberfläche stehen geblieben.

Merkwürdig sind die beiden dreizeiligen Inschriften. Die eine verläuft über Arme und Brust des rechten Mischwesens; die andere steht auf dem Reliefgrund zwischen seinem vorgesetzten Vogelbein und dem Palmstamm. Beide Male stehen die Zeilen zwischen Ritzlinien.

Von der ersten Inschrift sind mit Sicherheit noch folgende Keilschriftzeichen zu erkennen:

[...] –kal – [...]
[...] – pa – ra
[..]il ᵐḪa – di (wohl über Rasur!) – a – [..

also die bekannte Legende:

„Palast Kapara's, Sohnes des Ḫadianu".

Die zweite Inschrift verläuft in senkrechten Zeilen. Sie ist zu lesen:

E – [...
ᵐ [. . . . .
apil [...] – di – a – ni,

also ebenfalls die bekannte Legende.

A 3, 170. Menschliches Mischwesen mit Vogelbein und Flügel (Taf. 97a).

Kalkstein. Oberfläche stark zerrieben. Oberer Teil der Platte weggebrochen.
Höhe 0,45 m, Breite 0,43 m.
Fundort: Ostwand des II. Turms. Stein Nr. 78.
Verloren.

Zu erkennen ist noch der untere Teil eines mit Fransen besetzten Gewandes, das das rechte Knie freiläßt. Das nach links vorgesetzte Bein hat statt eines Fußes eine Vogelkralle. Ferner sieht man, sehr beschädigt, zwei Arme, die nach links greifen, und auf dem Rücken dieses Vogelmenschen, nach unten hängend, einen Flügel mit zwei Reihen Schwungfedern, die deutlich voneinander abgesetzt sind, und einer nicht weiter ausgeführten Reihe Deckfedern.

A 3, 171. Thronender Mann auf Hocker vor zwei Stiermenschen mit Flügelsonne (Taf. 98).

Basalt. Eckorthostat. Breitseite desselben Steines wie A 3, 20.
Höhe 0,59 bis 0,70 m, Breite 1,10 m.
Fundort: Nordwand des V. südöstl. Eckturms. Stein Nr. 170.
Vorpublikation S. 157, Taf. 37a.
Führer S. 46, Nr. 96.
Metropolitan Museum, New York.

Links im Bilde sitzt, nach rechts gewandt, ein Mann in einen Mantel gewickelt, auf einem Hocker. Er trägt unter dem Mantel anscheinend ein langes Hemd, dessen Fransensaum man noch über den Füßen erkennt. Sein Gesicht im Profil nach rechts zeigt den bekannten Typus der kleinen Orthostaten; schwere, fleischige Nase, eingeritztes Augenoval, wenig ausgearbeiteten Mund, großes schlecht gezeichnetes Ohr, Haare mit Stirndiadem rollen sich im Nacken zu einem Schopf ein. Die Haarmasse ist kariert. Die Füße, nackt, übereinander dargestellt, sind in Oberaufsicht wiedergegeben. Die rechte Hand tritt aus dem Mantel hervor und liegt auf dem Knie. Die linke Hand ist halb erhoben und führt eine lotosartige Blüte an die Nase.

Den größeren rechten Teil der Bildfläche nimmt die Darstellung zweier Stiermenschen ein, die gemeinsam auf einem Schemel eine mit dem Schweif aufliegende Flügelsonne stützen. Es ist das gleiche Bild, wenn man von dem kleinen Mann im Knielauf absieht, wie auf dem großen Orthostaten Ba, 2 (Taf. 104). Nur ist alles viel flüchtiger und gröber gezeichnet und gemeißelt.

Die Flügelsonne hat Flügel mit nur zwei Schichten Schwung- und einer ganz schmalen Schicht Deckfedern.

Die Stiermenschen haben als Unterkörper den Hinterteil eines Stieres, als Oberteil einen menschlichen

Oberkörper mit bärtigem Männerkopf im Profil. Sie haben Stierohren und tragen eine Hörnermütze. Stilisierung aller Einzelheiten entspricht derjenigen der Männer- und Stierfiguren auf den kleinen Orthostaten A 3, 2ff. bzw. A 3, 71ff.

Der Schemel, den beide Stiermenschen in ihrer Mitte mit beiden Händen halten, hat hohe Beine.

Rechts auf dem Stein Spuren einer radierten Inschrift (?).

A 3, 172. Zwei Stiermänner halten einen Schemel (?) empor (Taf. 99a).

Basalt. Orthostat zerbrochen. Oberfläche stark zerrieben.
Höhe 0,67 m, Breite 0,42 m.
Fundort: Südwand des III. Turms. Stein Nr. 105.
Führer S. 42, Nr. 67.
Früher im Tell Halaf-Museum zu Berlin, zur Zeit Vorderasiatische Abteilung der Staatlichen Museen Berlin (Nur noch zur Hälfte!) Eigentum der M. von Oppenheim-Stiftung.

Zwei spiegelbildgleiche Mischwesen stehen sich gegenüber. Ihr Unterkörper ist der eines Stieres: Zwei kräftige Rinderbeine, von denen das eine vorgestellt ist, und hinten ein langer Schweif ohne Quaste. Einzelheiten sind nicht erkennbar. Ihr Oberkörper und Kopf ist der eines Menschen; ihren einen Arm an vorgeschobener Schulter haben sie angewinkelt, wobei der Unterarm senkrecht in die Höhe gestreckt ist und in seiner Hand je ein Bein (?) eines kleinen Schemels ruht. Dieser Arm wird am Ellenbogen gestützt durch die Hand des anderen Armes, der leicht gebogen vorgestreckt, nicht im Relief ausgearbeitet, sondern nur durch kräftige Rillen umrissen ist.

Auf dem Haupte tragen die Männer eine kegelförmige Kappe. Über dem Ohr (beim rechten Stiermann noch gerade erkennbar) entwächst ihrem Schädel anscheinend ein Horn zur Stirn hin, wo es sich aufbiegt. Auch am Hinterkopf des rechten Stiermenschen ragt etwas wie ein Horn auf. Beide Männer tragen langes Haupthaar, das in dickem Schopf in den Nacken fällt. Ferner einen langen Backen- und Kinnbart. Der Mund ist bei ihnen nur durch eine Kerbe, den Mundspalt, bezeichnet. Der linke Mann hat eine große und gerade Nase, der rechte eine fleischige und gekrümmte mit scharf abgesetztem Nasenflügel. Ihr Auge ist beide Male durch eine ovale Rille umrissen.

Das von ihnen gehaltene Gebilde, das einen vierbeinigen Schemel mit seitlichen lehnenartigen Aufhöhungen in gerader Vorderansicht darstellen wird, besteht aus wahrscheinlich vierkantigen Beinen, die durch breite Zargen miteinander verbunden sind, und von denen die hinteren durch die vorderen verdeckt werden.

Auf dem Schemel erwartet man nach Analogie anderer Orthostaten eine Flügelsonne. Über dem Kopfe des rechten Stiermannes ist noch in Resten ein breitflächiges Gebilde erhalten, vielleicht ist es ein Flügel der Sonne.

A 3, 173. Stiermensch (oder Vogelmensch) mit Band in Händen (Taf. 99b).

Kalkstein. Stark beschädigt im oberen Teile.
Höhe 0,70 m, Breite 0,47 m.
Fundort: Ostwand des V. südöstlichen Eckturms. Stein Nr. 169.
Verloren.

Man erkennt noch einen in Vorderaufsicht dargestellten menschlichen, anscheinend unbekleideten Oberkörper auf kräftigen, nach rechts ausschreitenden Tierbeinen (Rinderschenkel mit Vogelbeinen?), die in längliche Klauen, vielleicht Vogelkrallen, enden. Unten am Rücken des Mischwesens ist ein dickes Stück des Schweifansatzes (?) erhalten, der Schweif selbst ist mit dem zugehörigen Stück der Platte abgebrochen. Auf dem Oberkörper saß wahrscheinlich ein menschlicher, bärtiger Kopf. Doch ist die Form des als Kinnbart anzusprechenden Restes ungewöhnlich.

Der gewinkelte linke Arm ist höher erhoben und weiter ausgestreckt als der rechte; die Hände halten ein Band, das unten knotenartige Verdickungen zeigt und anscheinend oben rechts auf der Platte irgendwie befestigt ist. Es ist nicht ausgeschlossen, daß der Gegenstand, an dem es befestigt war, auf einem rechts an diesen Orthostaten anschließenden dargestellt war. Ein Band, das von der Flügelsonne abgeht, wird öfters von einem Stiermenschen oder einem anderen Mischwesen, auch von Menschen, gehalten.

Auf dem rechten Oberarm und dem Oberkörper des Mischwesens ist eine dreizeilige Keilinschrift eingegraben; die einzelnen Zeilen sind durch horizontale Rillen voneinander getrennt. Man liest:

E – kal – lim
ᵐKa – pa – ra
apil Ḫa – di – a – ni

„Palast Kapara's, des Sohnes Ḫadianu's".

A 3, 174. Große Tierkapelle (Musizierende, tanzende und Gaben bringende Tiere) (Taf. 100).

Kalkstein. Oberfläche stark bestoßen.
Höhe 0,78 m, Breite 1,17 m.
Fundort: I. südl. Mauerrücklage. Stein Nr. 57.
Syria XIII Taf. 49.
Vorpublikation S. 158f., Taf. 38.
Führer S. 38f., Nr. 44.
Verloren.

Dieser Orthostat unterscheidet sich von fast allen anderen durch sein Breitformat.

Auf einen am linken Rande der Bildfläche dargestellten Löwen, der nach rechts schaut, bewegen sich oder blicken, mit einer Ausnahme, zahlreiche Tiere, auf den Hinterbeinen schreitend bzw. stehend, hin. Er sitzt in menschlicher Art auf einem kegelförmigen hohen Sitz. Seine Hinterbeine hängen nach unten; das dem Beschauer näher liegende rechte ist durch eine kräftige Rille und etwas erhöhtes Relief vom linken abgehoben, die Krallen durch kleine Kerben angegeben. Fast sieht es so aus, als ob die linke Hinter-

die Schenkelmuskulatur dieses Mal durch sechs flammenartig nach oben zusammenlaufende Ritzlinienpaare dargestellt wird. Die Bildung der Pranke selbst entspricht der der Vorderpranke, nur etwas kräftiger. Das zurückliegende linke Hinterbein gleicht bezüglich der Wiedergabe der Muskulatur dem linken Stierschenkel. Den Schweif schlägt das Tier ein. Das Schweifende, an dem die Quaste nur durch Verdickung gekennzeichnet ist, rollt sich im halben Bogen ein und füllt zwischen den Hinterpranken den Raum aus.

Oben unter dem Rande, von Ritzlinien umrahmt, auf geglättetem Grunde, eine dreizeilige Keilinschrift:

$E - kal - lim$
$^{m}Ka - pa - ra$
$apil\ ^{m}Ha - di - a - ni.$

Der Bildhauer dieses Orthostaten ist in der Ausführung von Einzelheiten viel sorgfältiger vorgegangen als der der Urstier-Jagd. So bemühte er sich auch z. B., die Sehnenbänder bei den Pranken nicht durch einfache eng parallel verlaufende Ritzlinien wiederzugeben, sondern arbeitet diese Sehnenbänder in leicht sich rundenden Wülsten heraus.

Der Orthostatenblock ist jetzt in mehrere größere Stücke gespalten. Vom Relief selbst fehlt nichts Wesentliches. Die linke obere Ecke des Blockes hat sich nicht mehr angefunden, ebenso ein schmales Stück am oberen Rande des Blockes.

Ba, 4. Nach links schreitender Löwe (Taf. 106).

Basalt.
Höhe 1,28 m, Breite 2,20 m.
Fundort: Rechte Seite der Hilani-Fassade.
Vorpublikation S. 93, Taf. 10 b.
Führer S. 61, Nr. 220.
Museum zu Aleppo.

Dem eben beschriebenen Reliefbild auf dem Orthostaten links vom Eingang entspricht fast spiegelbildgleich ein Löwenrelief auf der rechten Seite des Eingangs, gleichfalls unmittelbar neben der Leibungssphinx.

Das Tier auf diesem Orthostaten ist schlanker gebildet. Dadurch daß sein rechtes Hinterbein weiter zurückgesetzt ist, kommt das Schleichen der Großkatze schöner zum Ausdruck. In der Innenzeichnung wie der Wiedergabe der Muskeln und Sehnen ist der Bildhauer dieses Reliefs anscheinend nicht so sorgfältig verfahren wie der des anderen Löwen. So sind die Sehnenbänder lediglich durch in engen Parallelen verlaufende Rillen wiedergegeben ohne plastische Abrundungen. Die Muskulatur des linken Hinterschenkels ist durch nur vier „geflammte" Linienbündel angegeben; auch die Ritzlinien, die die Zehen der Pranken verdeutlichen sollen, verlaufen etwas anders als beim linken Löwen; hier folgen sie gleichsam immer dem Umriß der Pranken, während sie beim anderen Tier teilweise zusammenlaufen.

Die Pranken sind hier kantiger, während sie dort weich gerundet erscheinen.

Über dem Löwenrücken auf geglättetem Grunde Spuren einer von Ritzlinien eingefaßten dreizeiligen Keilinschrift, offenbar Kapara's, die absichtlich getilgt ist!

Ba, 5. Gott en face (Taf. 107 b, 108 a u. b).

Basalt.
Höhe 1,33 m, Breite 0,80 m.
Fundort: Rechte Seite der Hilani-Fassade.
Vorpublikation S. 93 f., Taf. 9 b.
Führer S. 43, Nr. 77; S. 61, Nr. 221 („Großer Teschup").
Früher Tell Halaf-Museum Berlin. 1943 zerstört. Bereits nach der Schürfung von 1899 von Einheimischen stark beschädigt. Die drei Tafeln zeigen das Bildwerk jeweils nach der Schürfung 1899, nach seiner damaligen Beschädigung und seiner Wiederherstellung im Tell Halaf Museum.

Eine schlanke männliche Figur steht auf angearbeiteter Standleiste. Kopf und Körper sind in Vorderaufsicht wiedergegeben, Arme und Füße auf dem Reliefbild seitwärts gestreckt; „in Wirklichkeit" sind jedoch die Füße sicherlich nach vorn gestellt und die Arme wahrscheinlich dem Beschauer entgegengestreckt zu denken. Die Füße sind ihrer Form nach entweder in gerader Unteraufsicht dargestellt oder sozusagen verkehrt in Oberaufsicht angesetzt; die Zehen durch tiefe Einschnitte gesondert, die große Zehe deutlich kenntlich gemacht.

Der Mann ist mit einem bis zu den Füßen reichenden Chiton bekleidet, der unten mit einem Fransensaum, an den Armlöchern der sehr kurzen Ärmel mit einfachem Saum versehen ist; in der Leibesmitte wird er durch einen breiten Gürtel straff zusammengehalten.

Der Kopf und besonders das Gesicht des Mannes sind fast rundplastisch ausgeführt. Auf seinem Haupte scheint er einen zylindrischen Aufsatz zu tragen, um dessen Mitte oder oberen Rand zwei schmale Streifen, vielleicht Bänder gelegt sind; aus diesen ragen gleichgroße breite zapfenförmige Gebilde empor, die oben abgerundet sind und in der Mitte eine plastische Längsrippe aufweisen, also wahrscheinlich Federn darstellen. Um den unteren Rand dieser sogenannten kurzen Federkrone legen sich von rechts und links je zwei kräftige Rinderhörner, die von oberhalb der Ohren des Mannes bis zu seiner Stirnmitte verlaufen, wo sie sich am Aufsatz aufwärts biegen und sich mit den Spitzen berühren. Das Ganze ist eine göttliche Hörnermütze. Unter ihnen fallen sechs angelhakenförmige Locken, je drei nach rechts und links sich umbiegend, in die Stirne, nur wenig von ihr über den Augen frei lassend.

Hinter den Ohren fallen große Flechten aus zahlreichen kleineren spiraligen Locken bestehend, vielleicht die Seitenflechten des Haarschopfes am Hinterkopf, auf die Schultern bzw. in den Nacken, wo sie sich einrollen.

Die Augen sind wieder ausgebohrt, da die Augäpfel aus weißem Kalkstein mit Iris und Pupille aus schwarzem Stein eingelegt waren (ein Auge ohne die Iris-Einlage ist noch erhalten).

Die ziemlich breite Nase war schon bei der Aufdeckung des Orthostaten 1899 an der Spitze leicht beschädigt und ist jetzt fast gänzlich zerstört. Tiefe Nasen-Mund-Falten grenzen die vollen Wangen ab.

Der Mund, ziemlich breit, ragt etwas vor, ist aber schmallippig; eine feine Rille gibt den Mundspalt an. Die Oberlippe ist bartlos.

Unten wird das Gesicht von einem Backen- und Kinnbart eingefaßt. Die oberen Bartlocken unterhalb der
Ohren sind durch kleine gebogene Wülste, die in zwei
Reihen daran anschließenden dagegen durch drei
waagerecht unterhalb des Mundes sich hinziehende
Rillen mit kleinen Querkerben dargestellt. Die Strähnen des Kinnbarts sind durch wenige, senkrecht verlaufende, gewellte Ritzlinien voneinander abgesondert;
er fällt (wie bei den Stiermännern und ihrem Genossen)
ziemlich tief auf die Brust herab, ist jedoch grobsträh-
niger.

Die Ohrmuscheln heben sich deutlich von den Seitenflechten ab; sie bestehen aus zwei nebeneinander sich
hinziehenden Wülsten, die an der Ohrspitze voluten-
förmig umbiegen, während die Ohrklappe darunter
wie ein kleiner Zapfen aufragt.

In der Rechten hält der Mann eine Keule, die aus
einem dicken Stab und darauf gestecktem, durchbohrt
zu denkendem kugeligen Keulenkopf, aus dem das
Stabende herauskommt, besteht; in der Linken ein
gebogenes Gerät, dessen oberes gerades Ende sich ver-
dickt und in ziemlich scharfem Knick vom gebogenen
Teil absetzt. Die linke Hand ist höher erhoben als die
rechte, offensichtlich weil die sicherlich im richtigen
Größenverhältnis wiedergegebenen Geräte mit der
geraden oberen Kante des Steinblocks wie auch die
Kopfbedeckung des Mannes abschneiden sollen. Daß
die höher gehaltene Linke etwa ein Ausholen mit dem
wohl als Wurfkeule aufzufassenden Gerät andeuten
sollte, ist kaum anzunehmen. — Beide Hände sind gut
und natürlich geformt, die Finger plastisch ausgearbeitet.

Der Keulenkopf ist wie das Haupt des Mannes fast
rundplastisch herausgearbeitet, während Leib, Füße
und Arme sowie die beiden Haarflechten mehr in einer
Reliefebene liegen. Der Bildhauer hat sich jedoch be-
müht, durch Abrundung der Umrisse (besonders gut am
linken Arm zu erkennen) oder durch Unterschneidung
(wie am unteren Gewandsaum mit Fransen) die körper-
hafte Erscheinung der Figur zu steigern.

Unterhalb des Gürtels befindet sich auf dem Gewand, von Ritzlinien umrahmt, eine dreizeilige Keilinschrift mit der bekannten Kapara-Legende:

E — kal — lim
ᵐKa — pa — ra
apil ᵐHa — di — a — ni.

Da die mit Hörnern und aufgesteckten Federn (o. ä.)
versehene Kopfbedeckung in der assyrischen (kaum
in der babylonischen) Kunst das Zeichen der Göttlich-
keit für den Träger dieses Kopfschmuckes bildet, darf
man auch den hier abgebildeten Mann als einen Gott
oder Genius betrachten und zwar, wie Keule und
Wurfholz anzeigen mögen, als einen kämpferischen
Gott oder Genius.

B a, 6. Hirschjagd (Taf. 109 a).

Basalt.
Höhe 1,50 m, Breite 1,82 m.
Fundort: Rechte Seite der Hilani-Fassade.
Vorpublikation S. 94 f., Taf. 10 b.
Führer S. 61, Nr. 222.

Nach der Schürfung von 1899 von Einheimischen
zertrümmert.
Fragmente im Museum in Aleppo.

Im großen ganzen erscheint das Relief als Gegenstück zur Stierjagd B a, 1. Auch hier ein Mann mit
einem Bogen; der aufgelegte Pfeil zielt diesmal auf
einen Hirsch. Beide Figuren stehen wieder auf angearbeiteter Standleiste und sind in Schrittstellung nach
links gewandt.

Der Mann umklammert mit der Rechten den Bogen
und zieht mit der Linken die Sehne zurück. Der Bogen
ist diesmal fast vollständig sichtbar gemacht, auch ist
der Abstand zwischen dem Wild und dem Jäger größer.
Der Künstler konnte das Tier in seiner Gesamtlänge
gegenüber dem Urstier verkürzen, indem er einerseits
den Kopf des Hirsches umwendete und so vor dem
Hirschhals den Raum einsparte, den er sonst bei ge-
radeaus gerichtetem Kopf benötigt hätte, andererseits
aber den Raum über dem Hirschrücken besser ausfüllt. — Die Pfeilspitze ist vorne etwas abgestumpft,
jedenfalls nicht so spitz wie beim Pfeil auf dem Orthostaten mit der Wildstierjagd, sie weist ferner eine Mittelrippe auf, war also in Wirklichkeit entweder in der
Mitte verstärkt, oder der Bildhauer wollte andeuten,
daß die Pfeilspitze dreikantig sei.

Der Schütze hat in Körperform, Kleidung und Einzelheiten das gleiche Aussehen, wie der auf der anderen
Jagddarstellung. Sein Ohr ist noch ornamentaler aus-
gestaltet insofern, als der obere Rand sich spiralig einrollt.

Wie der Mann in seinen meisten Zügen fast ein spie-
gelbildartiges Gegenstück zu seinem Genossen auf der
Wildstierjagd-Platte bildet, erscheint auch der Hirsch
in manchen Einzelheiten dem Wildstier ähnlich gestaltet, so in der Wiedergabe des Ritzlinienspiels der
Muskeln u. ä. Auch die Stellung der Beine mit dem in
gleicher Weise angehobenen und trotzdem den Boden
berührenden — diesmal linken — Vorderlauf, ist wiederholt.

Dagegen ist die Kopfhaltung, wie bereits erwähnt,
anders; der Hirsch wendet den Kopf zurück. Entsprechend seiner Art zeigt die Rückenlinie den für Rotwild
charakteristischen Schwung mit dem steilen Abfall
hinter dem Ziemer. Die Läufe sind schlanker, die
Schalen spitzer als die Beine und Klauen des Stiers. An
der Schulterpartie hat jedoch der Bildhauer hier darauf
verzichtet, das Ellbogengelenk plastisch herauszu-
meißeln, was übrigens bei dem Stier anscheinend (von
ihm) erst nachträglich geschehen ist! — Auch das den
Hals des Hirsches umrieselnde Rillenspiel weicht von
dem des anderen Tieres ab: Dort sind die Linien ge-
doppelt, vielleicht um die Falten der Wamme des
Rindes besser zu verdeutlichen; hier sind die Linien
zur Wiedergabe des Haarkragens einfach gewellt.
Ebenso sind die das Auge umgebenden Falten anders:
Das große Auge des Hirsches ist von zwei Ritzlinien,
die parallel zum Augenrand verlaufen, eingerahmt, am
äußeren Winkel laufen sie nicht zusammen, sondern
brechen am Ohransatz sich aufbiegend ab, indem sich
die Enden der parallelen Linien vereinigen.

Wie beim Urstier das Horn über dem Auge sitzt, so
auch das Geweih beim Hirsch; es ist in gerader Vorder-

aufsicht wiedergegeben. Die Stangen kommen scheinbar aus einem Stamme (genau so dargestellt sind die Geweihe der Hirsche auch auf assyrischen Reliefs). Die Enden der Stangen sind nicht symmetrisch, die Augensprosse der (für den Beschauer) rechten Stange steht näher zum Eissproß als bei der anderen Stange. Dies mag Absicht des Künstlers sein, da in der Natur die Geweihstangen oft nicht symmetrisch sind. — Der Wedel überdeckt merkwürdigerweise das untere Ende des Bogens, eine Überschneidung, die der Bildhauer doch wohl mit Leichtigkeit hätte vermeiden können, da zwischen dem Wedel und dem rechten Oberschenkel des Mannes genügend Platz für das weiter zurückgezogene Bogenende ist!

Obwohl die Platte ein Gegenstück zum Wildstierjagd-Relief bildet und es somit für den Künstler nahe lag, sämtliche Figuren entsprechend zu symmetrisieren, hat er es dennoch, wie wir sehen, vermieden, die Symmetrie auf Kosten der Naturwahrheit bei der Wiedergabe der Tiere zu übertreiben. Die charakteristischen Eigenheiten des Hirsches sind ebenso gut wiedergegeben wie die des Stieres, so daß sich die beiden Tiere nicht nur durch ihre Attribute deutlich unterscheiden, sondern auch in ihrem ganzen Habitus.

Bei der Entdeckung des Tell Halaf war die Platte noch gut erhalten; später bei der planmäßigen Ausgrabung sind nur noch Bruchstücke gefunden worden: Zwei vom unteren Teil und eins aus der Mitte der Platte.

B a, 7. Männlicher Sphinx (Taf. 109b).

> Basalt.
> Höhe 1,55 m, Breite 1,90 m.
> Fundort: Rechte Seite der Hilani-Fassade.
> Vorpublikation S. 95, Taf. 10b.
> Führer S. 33, Nr. 12; S. 61, Nr. 223.
> Nach der Schürfung von 1899 von Einheimischen zertrümmert.
> Fragmente zusammengesetzt im Tell Halaf-Museum Berlin. 1943 zerstört.

Das dargestellte Mischwesen besteht aus dem Leib eines Löwen, dem Kopf eines Mannes und langen Vogelschwingen. Es steht auf angearbeiteter Standleiste. Kopf und Brust sind in gerader Vorder-, der Löwenleib mit Beinen und Flügeln in gerader Seitenaufsicht dargestellt.

Das Gesicht des Genius' gleicht, soweit das Erhaltene urteilen läßt, im großen und ganzen dem der mit Gesicht en face wiedergegebenen Männer auf den großen Orthostaten der Fassade. Wie beim Gott mit der Keule und dem Krummholz sind die Ohren aus zwei nebeneinander herlaufenden schmalen Wülsten gebildet, die an der Ohrspitze umbiegen; die Ohrenklappe hebt sich als dicker Zapfen darunter sehr deutlich heraus. Die beiden Ohren sind in gerader Seitenaufsicht gleichsam nach vorne umgeklappt, um sie besser sichtbar zu machen, da sie sonst von den beiden Seitenhaarflechten überdeckt würden. Bei dem Kopf des Gottes war dies nicht notwendig, da sein Gesicht fast rundplastisch ist und sich bei ihm deshalb die Ohren mehr anlegen können, während das Gesicht unseres Genius flacher gebildet ist. Um sein Haupt scheint sich ein Band zu

schlingen; unter diesem hängen schlaufen- oder hakenförmige kleine Locken in die Stirne.

Oberhalb der Ohren gehen zwei kurze, aber sehr kräftige Wisent-Hörner seitwärts vom Schädel ab. Unterhalb derselben scheint sich etwas wie ein zweites Band um den Kopf zu legen; vom ersten unteren Bande ist es durch eine Rille abgesetzt. Es ist nicht unmöglich, daß hier die Reste von zwei übereinander liegenden Hörnerpaaren, die oberhalb der Ohren dem Kopfe entwachsen, vorliegen. Darüber erhebt sich ein etwas konkav eingezogener, oben mit einem abgerundeten flachen Knauf versehener Kegel, der mit acht horizontalen, gewellten Ritzlinien verziert ist. Hinter den Wisent-Hörnern wallen zu beiden Seiten des Kopfes zwei sehr dicke, sich unten einrollende Locken, vielleicht die Seitenflechten eines hinteren Haarschopfes, herab; durch schräge, dicht beieinander eingekerbte Rillen wird der Eindruck erweckt, sie seien wie wohl auch bei den Stiermännern seilbandartig gedreht.

Der Kinnbart ist durch wenige Ritzlinien in sieben nach unten sich wallende Strähnen geteilt, von denen jede zweite sich am Ende einrollt. Der Backenbart zeigt an den Wangen zwei Reihen von Löckchen, von denen die obere Reihe — sie allein verläuft auch über das Kinn — sich aufwärts, die untere abwärts einrollt.

Die Brust des Mischwesens ist mit dachziegelartig übereinanderliegenden Schuppen bedeckt, die durch je zwei Ritzlinien umsäumt sind; unterhalb des Kopfes ist ihre Form unregelmäßig. Der Löwenleib mit Beinen scheint genau so gebildet zu sein wie der der beiden Löwen-Reliefs auf den großen Orthostaten neben den Leibungs-Sphingen. Die Vorderbeine stehen hier jedoch sehr breit auseinander.

Die Flügelbildung ähnelt der bei der geflügelten Sonnenscheibe B a, 2; während dort aber drei Reihen von Schwungfedern vorhanden sind, ragen hier nach der dritten Reihe, die gegenüber den beiden anderen zum oberen Rande hin schmaler wird, weitere sehr lange Schwungfedern hervor, so daß die Schwingen den ganzen Löwenrücken überschatten. Die Schuppenfedern sind größer und sorgfältiger im Relief herausgearbeitet. Der ziemlich steil aus der Schulter herauswachsende Flügel biegt in Höhe der Wisenthörner um, so daß der obere Rand des Fittichs dann parallel zur oberen Kante der Platte geht. Im Gegensatz zu der etwas hart geknickten oberen Umrißlinie des Flügels verläuft die untere in schön geschwungenem, ruhigem Zuge.

Über der Flügelspitze steht zwischen Ritzlinien die dreizeilige Kapara-Legende:

> E – kal – lim
> ᵐKa – pa – ra
> apil ᵐḪa – di – a – ni.

Bei der Entdeckung des Tell Halaf 1899 war das Relief noch gut erhalten, nur das Gesicht des Mischwesens bereits stark bestoßen. Bei der Ausgrabung konnten nur noch Teile des Orthostaten geborgen werden: Von der linken Seite zwei ziemlich beschädigte und ein Stück aus der Mitte bis zum oberen Rande der Platte nebst einem kleineren.

Je zwei der besprochenen großen Orthostaten-Reliefs entsprechen im allgemeinen einander. Man erwar-

so auch die Ellenknöchel am Handgelenk. Die obersten Fingerknöchel sind dagegen ziemlich summarisch durch Einkerbungen am Handrücken bezeichnet, die Finger selbst durch tiefe Einschnitte getrennt.

Die Art, wie die Hände die Waffen des Mannes umfassen, ist vom Bildhauer nicht recht verdeutlicht worden. An der rechten Hand, die ein gebogenes Wurfholz o. ä. umklammert, ist der Daumen vollkommen mißlungen. Bei der linken, die einen Schwertgriff packt, hat der Bildhauer gleichfalls nicht deutlich das Herumgreifen des Daumens zum Ausdruck bringen können. Das beruht wohl darauf, daß er die beiden Waffen zu flach — reliefmäßig ausgeführt hat und auf diese Weise nicht mehr genügend Material besaß, um die dann in tieferer Reliefschicht liegenden Daumen herauszuarbeiten.

Das Wurfholz in der Rechten des Mannes ist am unteren Ende mit einer Bandschlaufe versehen, die daselbst durch mehrfache Umwicklung befestigt ist. Es legt sich dem Körper des Mannes, da es — ebenso wie das Schwert — nicht gut freiplastisch im Steine dargestellt werden konnte, eng an. Das Schwert besitzt eine lange ziemlich breite Klinge, die sich dem Gewand anschmiegt; der Griff ist oben „in Wirklichkeit" wohl mit einem halbkugeligen Knauf versehen.

Auf der Brust, etwa von der rechten Hand ab, zieht sich schräg zur linken Schulter eine mehrzeilige Keilinschrift hinauf, die großen Teils mit Absicht zerstört ist.

Auf offenbar sehr kurzem, dickem Halse erhebt sich der große Kopf. Das Gesicht ist nicht sehr gegliedert, es wirkt ziemlich fleischig. Die stark beschädigte Nase ist breit mit langen großen Nasenlöchern. Die gut herausmodellierten, etwas dicken Lippen sind fest zusammengekniffen und wölben sich vor, die Mundwinkel, besonders der linke, sind abwärts gezogen, was dem Gesicht einen etwas mürrischen Ausdruck verleiht, weniger einen grimmig entschlossenen. Die Augenhöhlungen sind ausgebohrt und waren mit andersfarbigem Steinmaterial ausgelegt.

Ein schmaler Schnurrbart ziert die Oberlippe, wobei die einzelnen Haare durch eingekerbte Winkel, die von beiden Seiten her mit den Spitzen zur Oberlippe weisen, angegeben sind. An den Mundwinkeln, deutlich nur am linken noch zu erkennen, rollen die Schnurrbartspitzen spiralig ein. Unteres Kinn und Wangenränder sind von einem großen Bart, der unten auf der Brust bogenförmig abgeschnitten ist, bedeckt. Die Bartlocken sind als eng zusammenlaufende Spiralen dargestellt, in einer Reihe am Kinn, in zwei oder drei Reihen — unter dem linken Ohr ist noch eine Lockenreihe erhalten — an den jetzt beschädigten Wangen. An diese Locken schließen sich, in Wellenlinien nach unten fallend, die Bartsträhnen, durch breite Rillen gesondert an, jede durch drei bis vier feine Rillen gegliedert. Unten rollen sich die Bartsträhnen wieder spiralig auf und zwar etwa von der Mitte ab nach entgegengesetzten Richtungen, während die oberen Bartlocken sich spiralig alle in einem Sinne drehen, wobei es fast den Anschein hat, als ob in mäanderartiger Weise eine in die andere übergeht.

Die Ohren, die wohl etwas zu hoch sitzen, sind groß und wulstig geformt; äußere und Gegenleiste, Läpp-

chen und Gehöröffnung, durch Einbohrung angegeben, sind kenntlich gemacht.

Das Kopfhaar, durch zickzackförmige Rillen wiedergegeben, fällt in breiter Masse auf die Schultern und in den Nacken, wo es in drei Reihen von spiraligen Locken aufliegt. Eine weitere Reihe von derartigen Locken zieht sich etwa in Höhe des Genicks um den Hinterkopf herum. Alle diese Locken rollen sich von der Mitte des Genicks bzw. des Rückens aus in entgegengesetzter Richtung ein (Taf. 132).

Auf dem Haupte trägt der Mann einen breiten bandartigen Reif. Dieser ist abwechselnd mit sechs- bis siebenblättrigen Rosetten und symmetrisch stilisierten Bäumen zwischen je zwei schmalen Säumen am oberen und unteren Rande des Reifens verziert. Die stilisierten Bäume wachsen aus einem breiten Grundstock, der unten durch Längs- und Querkerben als schuppig gekennzeichnet ist, heraus. Neben dem Stamme unten rollt sich rechts und links je ein spiraliges Blatt nach außen auf (oder ein). Aus dem Stamme darüber rollen sich ebensolche Blätter in S-förmigem Schwung nach innen ein. Zwischen ihnen ragt ein gefiederter Blattwedel mit herausgearbeiteter Mittelrippe und angefügten kleinen Blättchen empor.

Oben ist der Schädel flach abgeschnitten. In die Schädelkappe ist ein großes anscheinend viereckiges Loch eingemeißelt, in das ein Zapfen eingelassen war.

Durch das Aufrechtstehen auf einem Löwen ist der Mann als Gott gekennzeichnet. Die von ihm getragenen Waffen, Krummholz und Schwert, sind jedoch zu unbestimmt, um ihn näher zu charakterisieren; sie geben nur den allgemeinen kriegerischen Charakter an. Auch die Verzierung auf seinem Diadem dürfte für den Charakter des Gottes nichts ausgeben. Ebenso ist aus der Inschrift über der Brust nichts bezüglich des Namens und Charakters unseres Gottes zu entnehmen.

B c, 5. Großer Gott auf dem Stier **(Abb. fehlt!).**

Basalt; zahlreiche Bruchstücke.
Maße: Sie stimmen, soweit die Teile erhalten sind, zu den Abmessungen des Mannes B c, 4.
Fundort: Eingang zum Hilani.
Vorpublikation S. 110.
Führer S. 67, Nr. 304; S. 61, Nr. 216.
Früher Fragmente im Tell Halaf-Museum in Berlin. 1943 zerstört.

Erhalten sind insbesondere das linke Unterbein ohne Fuß; der Unterleib mit dem linken Schenkel und Knie; der rechte untere Gewandteil; rechte Schulter und Arm mit Hand; ein Stück des linken Oberarms; Teile des Bartes. Weitere Einzelteile lassen sich mit den Hauptbruchstücken nicht unmittelbar verbinden.

Nur in Einzelheiten lassen sich Abweichungen von der Figur des anderen Mannes feststellen.

So ist der untere Saum des Schurzes auf dem linken Oberschenkel abwechselnd mit sechs- bis siebenblättrigen Rosetten und symmetrisch-ornamental stilisierten Bäumen, die hauptsächlich aus je zwei sich links und rechts nach außen aufrollenden Blättern unten und oben darüber bestehen, besetzt. — Der

Saum am rechten Oberärmel scheint keine Fransen zu besitzen, sondern zwischen zwei schmalen Säumen ist er mit eingeritzten Winkeln verziert. — Das Schwert an der linken Seite liegt genau parallel mit dem breiten Fransenstreifen des Mantels oder Chitons.

Dagegen stimmt die Bordierung des Shawls genau mit der beim anderen Manne überein. Ebenso zeigt die Kniescheibe die gleiche Bildung, vielleicht nur durch eine etwas tiefere Rinne vom Oberschenkel abgesetzt.

So darf man, da auch die allgemeine Haltung bei beiden Figuren die gleiche ist, annehmen, daß es sich bei ihnen um ziemlich gleich gearbeitete Figuren handelte.

Die Gewandung ist bei dem hier beschriebenen Mann noch ornamentaler gestaltet als bei dem anderen. Man fragt sich, ob dem Bildhauer selbst, so wie er die Figuren dargestellt hat, die Art ihrer Bekleidung verständlich gewesen ist.

Bezüglich des Namens und Charakters des hier dargestellten Gottes vgl. Große Göttin auf Löwin B c, 6, Schluß.

B c, 6. Große Göttin auf der Löwin
(Taf. 133—135).
Basalt; mehrere große Bruchstücke.
Höhe 2,73 m, Breite 0,83 m.
Fundort: Eingang zum Hilani.
Vorpublikation S. 110f., Taf. 13a.
Führer S. 37, Nr. 39; Syria XIII Taf. XLVII.
Inschrift: M. v. Oppenheim-Festschrift AfO Beiheft I, S. 72.
Museum in Aleppo.

Auf angearbeiteter, ehemals quaderförmiger Standplatte steht straff aufgerichtet eine weibliche Figur.

Ihre Füße sind leicht getrennt nebeneinander gestellt. Der Enkel (Wadenbeinknöchel) ist herausmodelliert. Die Fußspitzen mit dem Vorderteil der Standplatte sind nicht erhalten; anscheinend waren die Füße nackt.

Bekleidet ist die Frau mit einem mantelartigen Obergewand; es reicht vorne fast bis zu den Fußknöcheln, die frei bleiben, um dort je drei dicke Fußringe von kreis- oder halbkreisförmigem Querschnitt sehen zu lassen. Hinten fällt es bis zum Boden herab, wodurch die Figur größere Standfestigkeit gewinnt. Unterhalb der Taille ist es geschlossen; ein seilartig stilisierter Randbesatz verläuft senkrecht etwa am linken Bein herab bis zum unteren Saum. Vorne an der Brust, vom Halse senkrecht herunter bis unterhalb des Busens, liegen die Gewandränder nebeneinander, dann geht der eine Rand nach rechts um den rechten Unterarm herum, unterhalb desselben quer über den Leib, und trifft schließlich auf der linken Körperseite senkrecht auf den anderen Gewandrand. Dieser zieht sich unterhalb des linken Busens entlang, dann über den linken Unterarm und stößt etwa unter dem linken Handgelenk mit dem anderen Rand zusammen. Die Ränder des Gewandes sind unten und an der linken Körperseite mit einem schmalen, durch zwei Rillen gebildeten Saum mit kurzen Fransen, die z. T. fast wie angesetzte Perlen aussehen, verziert; auf der rechten Körperseite ist der Rand doppelt gesäumt, was durch drei Rillen

angegeben ist. Vorne an der Brust zeigen die Ränder des Gewandes sogar drei Säume, sämtlich mit kurzen Fransen. Der Halsausschnitt hat zwei glatte Säume, unterhalb dieser ist er abwechselnd mit sechs- oder siebenblättrigen Rosetten und Halbmonden verziert.

Über dem Oberkörper der Frau erscheint das Gewand fast wie ein Jäckchen; es liegt eng an und läßt die Körperformen, besonders der Arme, den vollen Busen, die Hüften und das Gesäß, ja sogar das rechte Bein mehr oder minder deutlich hervortreten.

Die wohlgeformten Arme sind gewinkelt; wie bei den männlichen Figuren B c, 4/5 liegen sie und die Hände, in verschiedener Höhe, eng dem Körper an. Die rechte Hand ruht ausgebreitet vor dem Magen; sie ist recht fleischig, ebenso auch die einzelnen Finger, deren Gelenke plastisch ausgearbeitet und an denen auch die Fingernägel sorgfältig angegeben sind. Der Knöchel der Elle am Handgelenk tritt in leichter Erhöhung hervor. Um das Handgelenk liegen hier, ebenso wie bei dem anderen Arm vier dicke Reifen ähnlich denen um die Fußknöchel.

Die linke Hand ist geschlossen und hält ein Gefäß am Henkel o. ä. Den Bauch des Gefäßes, dessen sicherlich runde Form plastisch wiederzugeben dem Bildhauer nicht recht gelungen ist, umgeben fingerartige Riefeln; den Rand ziert ein Perlenmuster zwischen zwei schmalen Säumen. Der Henkel (oder eine Schnur) ist durch zwei am Gefäßrand aufragende Ansatzstücke hindurchgeführt.

Auf einem starken Hals sitzt der Kopf, im Verhältnis zur ganzen Figur zu groß, das Gesicht breit und fleischig und stark gegliedert. Die Wangen sind voll, von der (beschädigten) Nase durch tiefe Falten abgegrenzt; diese gehen unter dem Mund in eine andere über, durch die die Unterlippe vom Kinn abgesetzt wird. Das volle, gut geformte Kinn ist durch eine feine, leicht geschwungene Querkerbe unten begrenzt; eine weitere darunter deutet ein „doppeltes" Doppelkinn an, eine senkrechte flache Eintiefung am Kinn eine Art Grübchen, eine kleine flache an der Oberlippe die Delle. Die fein modellierten Lippen sind fest geschlossen; der Mundspalt ist fast gerade, nach den Winkeln zu etwas ansteigend und in die Länge gezogen, wodurch in Verbindung mit den sich vorwölbenden Backen der Eindruck eines freundlichen Lächelns hervorgerufen wird.

Die Augen sind ausgehöhlt und waren mit andersfarbigem Steinmaterial ausgelegt.

Über der an und für sich nicht gerade niedrigen Stirn liegt in scharfer Ondulierung, bis über die Mitte der Stirn hinunter, das Haar oder eine Haarflechte; feine eng nebeneinandergezogene Rillen geben die einzelnen Haare an zwischen den scharfen Graten der Ondulationshöhen. Die vor den Ohren herabhängenden, die Stirnflechte fortsetzenden Haarflechten sind unterhalb der Ohren nach hinten geführt, wo sie mit einer Flechte am Hinterkopf sich vereinigen.

Die Ohren wirken gegenüber dem sonst ausgeprägten Naturalismus sehr unnatürlich, wulstig, entstellt; sie sind nicht nur übergroß, sondern auch die Wiedergabe der äußeren und inneren Leisten, die wie Doppelvoluten aussehen, sowie des Läppchens und der Klappe erscheint rein ornamental.

Am Hinterkopf hängt das Haar in dicken, sicherlich als Zöpfe aufzufassenden Strähnen bis in den oberen Rücken, wo sich ihre einzelnen Enden spiralig einrollen und zwar von der Mitte des Rückens ab in entgegengesetzten Richtungen (Taf. 134). Auch hier sind die einzelnen Haare durch Rillen voneinander gesondert; bei den Flechten sind immer Gruppen von sechs bis neun einzelnen „Haaren" schräg gegeneinander abgesetzt, wodurch ganz gewiß der Eindruck des zopfig Geflochtenen vom Künstler beabsichtigt ist. Die Zopfflechtung reicht aber nur bis zur Höhe des Nackens, wo die Strähnen dann ungeflochten abwärts fallen.

Auf dem Kopfe trägt die Frau ein breites Diadem fast genau der gleichen Art wie der Gott auf dem Löwen B c, 4. Auch hier wechselt immer eine sechs- bis siebenblättrige Rosette mit einem dekorativ stilisierten Baume ab, jedoch sind diese einzelnen Motive hier immer durch zwei feine Stege voneinander getrennt. Bei den stilisierten Bäumen wachsen außerdem zwischen dem oberen und unteren sich auf- bzw. einrollenden Blattpaar einige Male noch zwei weitere, entweder sich aufrollende oder zungenförmige Blätter links und rechts heraus.

Oben ist der Schädel wieder flach abgeschnitten und mit einer ungefähr quadratischen Vertiefung versehen, in die sicherlich der Zapfen eines Auflagers hineingepaßt war.

Um den Hals (Taf. 135) sind sechs Perlenketten übereinander gelegt: Die vier oberen bestehen nur aus runden Perlen, die bei der obersten viel kleiner als bei den drei anderen sind; die beiden unteren aus langen, tonnenförmigen Gliedern, zwischen die drei bis vier scheibenförmige eingereiht sind.

Vorne, etwa in Höhe der Oberschenkel, ist durch Ritzlinien umrahmt und eingeteilt eine achtzeilige Keilinschrift eingraviert. Durch drei nachträglich über sie gezogene senkrechte Rillen sollte ihre magische Wirkung höchstwahrscheinlich aufgehoben werden.

Der Künstler hat es auch bei dieser Figur, wie schon oben ausgeführt, verstanden, die Körperformen unter dem Gewand zu verdeutlichen. Nicht geglückt ist es ihm, die Art der Gewandung dem Beschauer klar zu machen; das Ganze erscheint wie ein Manteltuch, das sich jäckchenartig um Oberkörper und Arme legt, während es unten ein richtiger Frauenrock ist, da die Gewandränder hier an der linken Seite der Frau irgendwie vernestelt sind. Ob die Göttin unter dem Mantelgewand noch eine Unterkleidung trägt, bleibt ganz ungewiß.

Wen die Figur darstellt, ist nicht ohne weiteres zu ersehen. Nach der Aufstellung neben den männlichen Götterbildern muß man jedoch auch ihr göttlichen Charakter zusprechen. Attribute, die sie irgendwie näher kennzeichnen, besitzt sie ja nicht. Aus der Inschrift, in der es heißt, daß dem Tilger der Inschrift seine sieben Töchter (als Hierodulen) der Ischtar dienen, während die Söhne dem Wettergott (Adad) verbrannt werden sollen, läßt sich zwar kaum der Schluß ziehen, daß wir es bei dieser Frauenfigur mit einem Ischtar-Bild, wenigstens nach Auffassung des Verfassers der Inschrift, zu tun haben. Doch mag man es als Hinweis gelten lassen. Dann wäre in der

männlichen Statue auf dem Stier wohl eine Adadartige Gottheit zu suchen, denn auch Adad wird in derselben Inschrift genannt, was übrigens auch nach allem, was wir über diesen Gott wissen, zu einer Darstellung eines Mannes auf dem Stier stimmen würde. Dann dürfen wir wohl in den drei Gottheiten auf dem Stier, dem Löwen und der Löwin eine Trias sehen, wie sie im syrischen Bereich häufig begegnet: Großer Himmelsgott, Große Mutter und Gottsohn, eine Trias, die sicher in Vorderasien uralt ist und noch bei Hurri und Hethitern vorhanden gewesen ist.

Bd. Weitere Bildwerke der Kapara-Zeit auf der Burg

Bd, 1. Großer Vogel auf Säule **(Taf. 136—139a-c)**

Basalt; viele Bruchstücke.
Höhe 1,84 m (mit Kapitell).
Fundort: Vor der Hilani-Fassade.
Vorpublikation S. 117ff., Taf. 14.
Führer S. 62, Nr. 224.
Früher in der Vorderasiatischen Abteilung der Staatlichen Museen zu Berlin; zur Zeit in russischer Hand. Verbleib unbekannt.

Auf einem Blattkapitell mit Säulenansatzstück steht steil aufgerichtet ein Vogel mit übergroßem Raubvogelschnabel. Bis auf Ansätze fehlen die Beine (mit den Krallen). An den Beinansätzen erkennt man noch einige mehr ornamental wirkende als organisch verständliche Rillen. Die Brust ist mit schuppenartigem Gefieder bedeckt, das dachziegelartig angeordnet ist. Jede Schuppe ist durch doppelte Ritzlinien umsäumt. Vom Hals des Vogels ist das Brustgefieder durch zwei Säume abgegrenzt, die durch senkrechte Querrillen, paarweise zusammengerückt, verbunden sind.

Die Flügel sind plastisch stark vom Leibe des Vogels abgesetzt. Ihr vorderer Rand mit den schuppenartigen, wieder durch doppelte Rillen eingefaßte Deckfedern ist in erhöhter Reliefschicht von den anschließenden Schwungfedern abgehoben. Die Schwungfedern, in zwei von einander abgesonderten Reihen, bestehen aus einem plastisch ausgearbeiteten Mittelsteg mit angesetzter Fiederung.

Unter den Flügeln ragt der breite und dicke, kurze Schwanz hervor. Die acht Federn desselben sind genau so gebildet wie die Schwungfedern der Flügel und unten gerade abgeschnltten. Der Schwanz ist fest mit dem Kapitell verbunden, um die Standfestigkeit der Figur zu sichern.

Den Nacken zum Kopf herauf zieht ein breiter, flacher Wulst, auf jeder Seite von zwei schmaleren eingefaßt. Er endet anscheinend — das Zwischenstück ist ausgebrochen — in eine Art Haube, die durch verschiedene Rillen ornamental gegliedert ist. Ganz oben zeigt der Kopf eine runde Aushöhlung, in die offenbar ehemals noch ein Aufsatz eingefügt war (Taf. 139a). Von dem Nackenwulst ziehen sich in ziemlich breitem Abstand parallel zueinander kräftige Rillen nach vorn. Etwa

BILDTAFELN

A 1

A 1

A 1

A 2

A 2

A 3,6

b

A 3,5

a

A 3,8

b

A 3,7

a

A 3,17

b

A 3,16

a

A 3,19

b

A 3,18

a

A 3,23

b

A 3,22

a

A 3,27

b

A 3,26

a

A 3,29

b

A 3,28

a

A 3,31

b

A 3,30

a

A 3,32

A 3,38

b

A 3,36

a

A 3,37

A 3,39

b

A 3,40

a

A 3,42

b

A 3,41

a

A 3,43

A 3,47

b

A 3,46

a

A 3,49

b

A 3,48

a

A 3,51

A 3,52

A 3,53

A 3,63

b

A 3,62

a

A 3,67

b

A 3,66

a

b

a

A 3,79

b

A 3,78

a

A 3,86

A 3,88

b

A 3,87

a

A 3,91

b

A 3,89

a

A 3,99

b

A 3,98

a

b

a

A 3,104

b

A 3,103

a

A 3,106

b

A 3,105

a

A 3,111

b

A 3,110

a

A 3,113

b

A 3,112

a

A 3,123

b

A 3,122

a

b

a

b

a

A 3,142

b

A 3,140

a

A 3,143

b

A 3,141

a

A 3,147

b

A 3,146

a

A 3,149

b

A 3,148

a

A 3,151

b

A 3,150

a

A 3,153

b

A 3,152

a

A 3,161

b

A 3,160

a

A 3,169

b

A 3,168

a

A 3,177

b

A 3,170

a

a   Ba,6

b   Ba,7

Bb,1

Bb,1

b

Bb,1

a

Bb,3

a   Bb,3

b   Bb,4

Bc,1

Bc,1

a

b

a   Bc,1

b   Bc,3

Bc,3

Bc,3

a   b   Bc,6

Bc,6

Bd,1

a   Bd,1

b   Bd,1

c   Bd,1

d   Bd,2

Bd,4

C,1

b

a

C,2

a   b   c

D,5

b

a

c

D,7

b

a

E,1

E,1